内臓が生みだす心

西原克成 *Katsunari Nishihara*

NHK BOOKS
[948]

日本放送出版協会

Printed in Japan
[協力] 青藍社
[製図] ノムラ

目次

第三章　心と精神の発生学——呼吸器、腸、神経、筋肉　61

はじめに

本書は「心のありかをさぐる」研究の答えが標題となっています。この研究テーマは生命科学の中でも最も難しい難問で、これまで現代科学の手法で明解に答えを示した人はいません。なぜかといえば、心や精神とは、いったい何なのかが科学的によく把握されていなかったからです。これらが何であり、どこに宿るのかを解明するには、生命とは何かをまず正しく理解しなければなりません。

さらに、生命のうちでも、人間の所属する哺乳動物を含む脊椎動物の進化が、どのような法則によって起こっているのかがはっきりとわからないことには、心や精神のありかなどとうていわかるはずがないのです。なんとなれば、動物の器官には様々な機能があり、その器官の本質を知ろうと思ったら、器官の由来をたずねることが形態学の鉄則だからです。由来をたずねる学問が系統発生学で、これは進化の過程を逆にたどるのと同じことなのです。

心や精神はある特定の臓器の持つ機能、つまり働きであることには違いないのです。そしてこれらは、体温や声や呼吸運動や筋肉運動と同様の質量のないエネルギーであることも間違いないことです。

しかし、ヒト以外の動物をもちいて「心」のありかを検証することも大変難しいことです。心や思いというのが「存在する」ことを示すことが出来るのは、動物界の脊椎動物の中でも最も由緒ある名門の哺乳動物のうち霊長目ヒト科の人類だけです。しかも、ことばやシンボルの文字を用いてはじめて心や思いが存在することを表したり示したりすることがヒトにおいて出来るのです。ちょうど人類だけが持つ人体の構造欠陥によって、人類だけに発症する難治性の免疫病が、どうして起こるのかという免疫病発症の謎を究明するのと同じ程度に難しいのが、心のありかをたずねることです。

心というのは動物の器官や組織・細胞の持つ働き（機能）のことです。多細胞動物の出発点は細胞一つからなる原生動物ですから、心の源は、細胞という生命の最小単位の構造体が持っている働きによって発生するエネルギーです。人類だけに発生する免疫病も、実は深く考えると器官や組織や細胞の働き（機能）が何らかのエネルギーを受けて障害されて起こる病気なのです。そんなわけでエネルギー代謝が変調して起こる免疫病発症の謎を究明しないことには、心の宿る器官の特定など出来るはずもありません。

筆者は三七年間、臨床医を続けている「口腔科」の医師です。二〇世紀は、上医といわれる「口腔科医」がアメリカの臓器別医学を代表する「歯科学」に駆逐された時代でもありました。ところが、わが国では大正から昭和の時代の今次世界大戦のころまでに、この口腔科医を世界に先駆けて復活させようと、営々と努力していた嶋峰徹という医学者がおりました。この旧制の口腔科医科大学の構想は、昭和二〇年の嶋峰先生の逝去により挫折して今日に至っています。

筆者は東京医科歯科大学に今から四十数年前に入学しました。顔面と口腔の医学に漠然とした期待をいだいて進路を選んだものの、専門課程にすすんでからは、青雲の志もすっとんで、卒業のころにはすっかり失望してしまいました。それでも三木成夫の解剖学における生命の形態学の講義を受けてから、一生の間に一度は本格的に脊椎動物の進化を研究してみたいと考えてきました。二年間の実地歯科研修医を経て、三木成夫の母校の東大医学部の大学院に入り、医学研究の道に入りました。そして嶋峰徹の唱えた口腔科医になって、リンネやヘッケルやルー、三木成夫やヘルムホルツ、ヘルツやヤングのような医学者になればよいことに気づきました。自分でいうのもおかしなものですが、こうして自己研鑽して口腔科の名医になることを志したのです。口腔科の名医というのは、常に脊椎動物の進化に立ち返って医学を考え、治療を行う姿勢を持った医師のことです。

大学院に入ったころは、ちょうど大学紛争が東大の医学部からはじまったときでした。この紛争に巻き込まれて、学者コースが大きくそれたのです。

筆者は、学生時代の昭和三六年ごろに三木成夫に生命の形態学の講義を受けたときから、脊椎動物を定義する骨を人工的に合成することが出来るようになれば、この宗族の三つの謎が解けるという確信に近い信念を持っていました。そして、この宗族の特徴的器官が腸管呼吸の鰓《えら》と肺で、骨髄造血系と外呼吸器の関係を深く研究すれば三つの謎——進化の起こる原因子、免疫システムの謎、骨髄造血の発生——が解けるはずであるという信念を持っていました。

骨の鉱物質のヒドロキシアパタイトがわが国で合成されたときに、これを用いて人工歯根の研究をはじめてから、わずか一年で人の歯と同様の釘植型（歯根膜とセメント質が出来る）の人工歯根の開発に成功しました。この人工歯根は、アメリカでも一五〇年間、血眼になって研究しても出来なかったものです。次いで三年後には、アパタイト多孔体の人工骨髄装置を用いて、世界ではじめて筋肉内で骨髄造血巣と造骨細胞を筋肉細胞から誘導することに成功しました。

二つの人工器官に関して、これまで誰も思いつかなかった生体力学刺激つまり、わずかな振幅のゆすぶり運動や筋肉の動きで起こる体液の流動というエネルギーで、セメント芽細胞や造血細胞、造骨細胞を誘導する方法を開発しました。

筆者は、生物進化を突然変異と自然淘汰で説明することに長い間、疑問を感じていました。脊椎動物に限定すると、その進化の過程では重力が大きな役割を演じていることが人工歯根と人工骨髄の開発研究により明らかとなりました。脊椎動物が重力を受けることにより、どのように内臓や骨格が進化してきたかを、独自の実験と洞察を通して究明し、これらをまとめて『生物は重力が進化させた』（講談社ブルーバックス）に著しました。本書でも基本的な考えとなるものなので、ここにかいつまんで説明しましょう。

脊椎動物の進化のステージをさかのぼると、原索動物のホヤの祖先、ムカシホヤにまでたどり着きます。ホヤというのはご存知のように海底に張り付いて波の動きにゆらゆらとたなびきながら、海水中の養分を吸収しています。ホヤのからだは養分吸収の腸管と呼吸のための鰓腸《さいちょう》からなり、口から食物と酸素を含んだ海水を取り込み、鰓孔と肛門から排出する、袋のようなつくりになっている生き物です。

ところがホヤの子どもにはオタマジャクシのような尻尾があり、魚形をしていて最初は岩にくっついてはいないのです。従来の脊椎動物の進化様式に幼形のまま成体になると魚形の進化が起こるという説がありました。筆者は実験により、ホヤの幼形進化（子どもの形のまま大人になること）を成功させ、脊椎動物の進化の要因を探りました。しかし背骨の進化を研究してホヤが単体節であることが明らかとなり、幼形進化は進化の袋小路であることがわかりました。そしてホヤの遺伝子重複による多体節化という原初の革命の段階のあることが解明されたのです。次には口―肛の極性の発生を重力のもとに究明しました。海水中を泳ぎだした多体節ボヤは、頭進（頭を前にして進む）により、海水中の酸素含有量と重力作用に基づいた慣性の法則を受けます。このとき体節毎に存在する鰓孔は、口から鰓腸を流れて酸素を充分取り込む段階で鰓孔が消失し、次いで、消化吸収用の均等に並んでいた腸などの臓器が慣性の法則でどんどん後ろに移動していくのです。からだも長くなり、腸が口側と肛側に分極して形が変化します。このようにして、脊椎動物の進化が次のステージへと進み、ついには上陸劇をへて、新たなステージへ向かったと考えられます。

三億年前の脊椎動物に起こった上陸劇の再現実験では、サメを実際に陸上げし、陸棲の脊椎動物への体制の変化を検証しました。すなわち、水中で鰓呼吸をし、血圧が極めて低いサメを陸上げすることにより、のたうちまわって血圧が上昇すると、鰓で空気呼吸ができるようになるのです。血流が増え血圧が高まると流動電位が高まって、その作用で間葉細胞の遺伝子の引き金が引かれて軟骨が硬骨化し、ついには骨髄に造血の組織が出来上がるのです。このように脊椎動物の各進化のステージでは、突然異変が起こったのではなく、重力や流動電位などのエネルギーや、化学物質によって細胞の遺伝子が発現し、たとえば、軟骨が硬骨化し骨髄造血巣などが獲得できたのです。これは、行動様式が代々伝わることでからだの形の変化が生じる、という用不用の法則の正しい解釈をも検証したことになります。

心のありかをさぐる研究は意外なところから突破口が見つかりました。原発性肺高血圧症に冒されていたクレア・シルビアが一九八八年にアレキシス・カレルの内臓移植術を発展させた、当時米国でも最も先進的な心肺同時移植手術を受け、この手記が『記憶する心臓』として一九九八年に出版されたのです。その中に心臓と肺臓を同時に移植されたクレア・シルビアの心が、ドナーの若い男性の心に替わってしまったことが報告されています。筆者のサメを使った系統発生の進化の研究でも、顔の筋肉と舌筋と心肺は一体となった鰓器に由来する腸管内臓系で、ここに心が宿ることを明らかにしたちょうどそのときに、このクレア・シルビアの手記の存在を知ったのです。

しかも、哺乳動物だけが心臓の周囲に存在する囲心腔内に肺と胸腺が入り込むことを筆者が発見していますから、心臓単独の移植より心肺同時移植のほうがより手術が容易で、さらに舌まで含めて一時に移植手術をすれば有利に移植が出来るはずです。なぜかといえば横隔膜までがサメの動かない舌が変化したものだからです。こうして人体実験ともいえる実例の報告を手にして、ようやく実証的に心のありかを示すことができるようになったのです。

本書では、進化学も免疫学も骨髄造血の発生もすべて同じ一つの法則に基づいて研究と体系づけを行っています。この法則というのは、ニュートン以降のサイエンスの最大の成果「エネルギー保存の法則」です。今日に至るまで世界中で、生命科学は一八世紀の「質量保存の法則」のもとに成立していたのです。本書は質量のないエネルギーを物質として扱って生命科学を解明し、解説した書物です。これでようやく心と精神・思考が論ぜられるのです。なんとなればこれらはすべて体温や呼吸や発汗と同じエネルギーだからです。質量のある物質だけで考える学問の仕方が本当の唯物論かもしれません。したがって、まったく新しい考えを基本に据えた本ですので、ある程度重複があると思います。重複するうちに頭の中に新しい考え方が入っていくことを願っています。

本書を出版するにあたり、ＮＨＫ出版の辻一三さん、日方麻理子さんには大変なご苦労をおかけ致しました。心から感謝致します。

二〇〇二年七月　　西原克成

第一章　心肺同時移植で心が変わる

心はエネルギー

現代のライフサイエンスの手法で心のありかを探ることが出来るのでしょうか？

二〇世紀の多くの生命科学者が脳の研究をしています。カナダの脳外科医ペンフィールドも脳の手術を通して「心のありかを探る」研究をしましたが、わかったことは心は脳に存在するのではない、ということだけでした。多くの学者が失敗した研究の手法に何か本質的な欠陥があることだけは確かです。

フランスのアレキシス・カレルという医学者がいます。『人間この未知なるもの』という本を著した学者です。彼は今から九〇年前の一九一二年にロックフェラー研究所で血管縫合と内臓移植の新方法の開発によってノーベル生理学・医学賞を授けられました。

その著書の中で特に注目すべきことは、ヒトがヒトと交流するときには、それが精神的なものであれ、夫婦関係や母子関係、父子関係であれ、完全に物質的に時間と空間を越えて繋がっているということです。つまり精神的な思いや心が、過去から未来にわたって距離を隔てて繋がっているというのです。これが、ニュートン以降のサイエンスの最大の成果である「エネルギー保存の法則」をライフサイエンスに生かした研究の結論です。

心も精神も霊と呼ばれる現象も、実は質量のないエネルギーなのです。そして光という質量のないエネルギーを仲立ちとして空間と時間が相対的な関係にあるというのが、アインシュタインの相対性理論です。この考えによって一八世紀の「質量保存の法則」という宇宙理解が「エネルギー保存の法則」に書き改められたのでした。

少し難しく感じるかもしれませんが、心や精神のありかを探るには、どうしても質量のないエネルギーが質量のある物質と、ある極限状況（原子炉の中など）で等しくなるという二〇世紀の宇宙観を理解しなければ駄目なのです。なぜかといえば、心も精神も思考も思いもすべては、体温と同じ質量のない生命エネルギーだからです。

生命エネルギーは、体温や呼吸、発汗や音声、超音波、生物発光と同じく、生命活動の本質の新陳代謝（リモデリング＝リニューアル）と同時に起こる電子の受け渡しの渦の回転、つまり体内の電気現象なのです。

二〇世紀には「エネルギー保存の法則」という宇宙観があまねく広く一般に受け入れられ

たわけではなかったのです。本当にこれがからだでわかれば、宗教が変わり生き方も変わってしまいます。

心のありかを探る研究手法

心がエネルギーであることさえわかれば、そのありかを探る研究の手立ては、わけなく見つかります。

ホルモン分泌器官を研究するときのように、心のありかと思われる器官を取り除いたり、壊したりすればわかりそうにも思えます。現実にも、この考え方で多くの犬や猫や猿が医学者の犠牲となって、大脳皮質を全部そぎ落とされたり、脳幹が切られたり、大脳の前頭葉を切るロボトミー手術をされたりと、動物の受難の時代がありました。しかしそれでわかったことは、どうやら心のありかは脳をいくらいじくってもわからないということでした。

自己・非自己の免疫学のはしりとなった研究は、フランスのル・ドワランという女性学者の行った卵が孵化する前の胎生期のウズラとヒヨコ（ニワトリの子）のキメラをつくる実験でした。高等な脊椎動物でも孵化前の胎児は、免疫寛容といって組織免疫の仕組み（遺伝子）が眠っています。これは哺乳類でも同じですから、この時期の組織を交換移植することが出来るのです。

ル・ドワランは、ウズラとヒヨコの受精卵が卵割して神経胚になったところで、脳や脊髄になる神経堤という部分を互いに切り取って交換移植したのです。これが生着してウズラとヒヨコの混ざったキメラ、つまりウズラの脳やウズラの羽を持つヒヨコが孵ったのです。このウズラの脳を持つヒヨコは、ウズラの鳴き方をするのでしょうか？

後で詳しく述べますが、筆者は円口類のメクラウナギの脳とサメの脳を二〇匹のイモリと一〇匹のラットの脳に移植することに成功しましたが、イモリもラットも行動様式はまったく変化することなく五カ月も六カ月も平然と普通に生きていました。脳の神経細胞は、移植してもただの電極の回路で、独自の電流、つまり好きだ嫌いだといった電流は出さないのです。

ウズラの脳を持つヒヨコも当然ニワトリの鳴き声しか出しません。つまり心のありかはペンフィールドの言う通り本当に脳にはないのです。

心のありかを研究するには、犬や猿の実験では無理なことは、はじめからわかります。ホルモンや体温や呼吸とは異なり、生命エネルギーといっても、心は最も高次でこれを表すには、ことばでしゃべる以外にないくらい高度なものです。類人猿を記号を使ってしゃべらせる研究がありますが、心や思いを微妙に語ることは到底無理な話です。しかし、意外なことにカレルがすでに予言した、ヒトの臓器移植によって、もうすでに心のありかを検証する人体実験ともいえる研究がアメリカで行われ、臨床応用され報告されています。『記憶する心臓――ある心臓移植患者の手記』という書物です。

本書では、アメリカで実際にあったヒトの心臓と肺の同時移植研究の結果に基づいて、心が心臓や肺つまり腸管内臓系に存在することを示し、さらに故事を辿って心が内臓腸管系に存在することを考証します。そしてこれを系統発生学と比較解剖学の手法と、筆者が考案した実験進化学手法を用いて脊椎動物の進化の研究に照らして検証していきましょう。

『記憶する心臓』（クレア・シルビアとウィリアム・ノヴァック著、飛田野裕子訳、角川書店）より

(A Change of Heart : A Memoir, Claire Sylvia with William Novak, Foreword by Bernie Siegel, M. D. Little, Brown and Company Boston, New York. Toronto London)

この本の主人公のクレアは難病に冒され、数年前、心臓と肺を臓器移植しました。間もなくクレアは、ドナーのバイク事故で死亡した若者の臓器が、それ自体の意識を伴って自分の中にあるのではないかと思えるようになります。

この本で、すいせん文を書いている医学博士チョプラ医師の死生観が我々とそぐわないのは、キリスト教の世界のヒトの死つまり脳死が、細胞の死ではなくて、法律と同様にヒトとヒトの間で決めた申し合わせのようなものだからです。しかも自然法ではなくて行政法のような人為的なものだということです。この本は、心のありかを示す貴重な記録ですから、少し引用しながらみていきましょう。以下、一連の引用はこの本からのものです。

> 間もなくわたしは、自分が受け取ったものが、たんなる体の新しい部品ではないと感じるようになった。移植された心臓と肺が、それ自体の意識と記憶を伴ってわたしの体内におさまっているのではないかという気がしてきたのだ。ドナーである若者の魂と個性の一部が、わたしの体の中で生きつづけている証《あか》しとなるような夢を見、自分自身の変化を感じるようになった。(『記憶する心臓』第一章より)

そして心臓という臓器は、ただポンプの役割をするのではなく、他の臓器と違って、なにか感情にかかわるものではないかと感じるようになります。感情の比喩表現においてもよく〝ハート〟という言葉を使うことに気づきます。「失恋《ブロークン・ハート》」「気を取りなす《テイク・ハート》」「意気消沈する《ルーズ・ハート》」

「歯に衣きせずにものを言う《ウェア・ハート・オン・スリーヴ》」「冷酷《ハートレス》」「純粋な心《ピュア・ハート》」等々。

たしかに、いかに科学万能主義に毒された心臓専門医であろうと、孤独や憂鬱、疎外感といった感情を味わうことによって、体調全般や心臓の機能に変調をきたすという事実は認めるはずだ。そしてまた、心と体が密接に結びついているという説は広く受けいれられてはいるが、たとえば肝臓、膵臓、そして脳でさえ、心臓のように頻繁に比喩表現に使われることはないのだ。（同書、第一章より）

ある日、クレアは現実と見まがうばかりの鮮明な夢を見ます。

暖かい夏の日、わたしは広々とした野原に立っている。そばには長身でほっそりした、だがたくましさを感じさせる砂色の髪の若者がいる。彼の名前はティム、名字はたぶんレイトンだと思うが、確信はない。いずれにせよ、私は若者のことをティムだと思っている。わたしたちは陽気に冗談を言いあっている。とても仲のいい友達といった感じだ。（中略）わたしたちは別れのあいさつにキスを交わす——そうしながら、私はティムを自分の中に吸い込む。あれほど胸一杯に深く息を吸いこんだことはない。そしてその瞬間、わたしはティムと自分が永遠に解けぬ絆で結ばれたのだと感じる。（同書、一章より）

クレアは同じく心臓移植した人たちとのグループミーティングに出かけ、他のメンバーもアイデンティティーの変化を感じていることを知ります。五十代のマリオ、四十代のトーマスは、それぞれ若い男性の心臓を移植されましたが、

移植手術後、マリオとその妻は、彼の生活習慣が激変したことに気づいた。まず、マリオはバナナが嫌いだったのだが、手術後は好きになった。デザートに執着するタイプではなかったのに、甘いものが大好物になった。以前は神経質なくらいにきれい好きだったのが、手術後はだいぶ大目に見られるようになった。

四十代の男性トーマスは、移植手術後、性格が激変した。手術前は、何事につけ引っ込み思案で内省的だった。だが、手術後数ヵ月経ってわたしたちのグループに参加した

彼は、いつも野球帽をかぶり、外見は大人の男性だが、中身は九歳のおしゃべりなやんちゃ坊主といったところだった。（同書、第十一章より）

その後、クレアはドナーである若者の死亡記事を図書館で見つけ、夢の中の青年と同じ名前であったことに驚愕します。悩んだ末、彼の家族を探り当て、その家族の一員として受け入れられることになります。

後の章では、細胞記憶の理論を広く応用しているディーパック・チョプラ博士の説明を紹介しています。

そうした事象にたいして超自然的解釈を試みるよりは、われわれの体には経験が物理的表現をもって刻まれていくことの証《あか》しと考えるほうが妥当だろう。経験というものは、われわれが自分の内に取りこむものであることから、細胞には記憶がしみこんでいる。したがって、他人の細胞を体内に取りこめば、同時に記憶までをも取りこむことになるのだ。（同書、第十八章）

また、クレアは臓器の記憶について、生化学者キャンディス・パートの説を知ります。

人間の感情は、ニューロペプチドがレセプターに取りついてニューロンの電気的変化を促進させることによって生じるというのが、パートの説だ。

ペプチドが脳内に存在していることはよく知られているが、パートと仲間の研究者たちは、それが心臓を含めて全身に散らばっていることを発見した。胃にもニューロペプチドが存在していると聞いて、わたしは〝腹にすえかねる〟とか〝腹の虫がおさまらない〟といった表現が、改めて納得できたような気がする。（同書、第十八章）

『記憶する心臓』は、心がドナーの心に変わってしまったクレア・シルビアの魂の声です。肺が腸管に由来する肝臓に相当するくらいに大きな臓器であり、腸管が生命の源であることが、現代医学で完璧に忘れられています。心臓移植しただけでは、ここまで心は変わりません。

食べ物の好みは、もとより腸の粘膜の上皮細胞の吸収の傾向性を意味します。色彩というのは、特定の光の波長で決まります。光は電磁波で、質量のないエネルギーです。眼は鰓の呼吸用の腸に附属するパラニューロン（神経細胞とその効果器官とを結ぶ神経とその効果機能とをあわせ持つ細胞）で腸管の好き嫌いに従って筋肉にその情報を伝える仕組みです。生命体にとっては、質量のある物質の腸管粘膜からの吸収も質量のないエネルギーの腸付属器官（眼）からの吸収も完全に等しいのです。たとえば前者は酸素や栄養分、後者は光です。

心肺同時移植は、アレキシス・カレルが一九一二年に開発した血管縫合と内臓移植の手法が六〇年後に実施され、ヒトに応用された二〇世紀の移植医学の成果ともいえるでしょう。

筆者のネコザメを陸上げした実験進化学手法による研究について後の章でくわしく述べますが、この実験で哺乳動物だけが囲心腔に肺と胸腺が入り込み囲心腔底から横隔膜が発生する仕組みを解明しました。つまり心臓をとりまく外側の袋に肺と胸腺が入り込むのです。哺乳動物だけは舌と心臓と肺が鰓に由来するまとまった外呼吸システムの単位なのです。この進化の事実を暗黙のうちに応用しているのが心肺同時移植の手法です。何よりも重要なことは、ラットの脳にサメの脳を移植しても、ヒトの大人の脳にヒトの胎児の脳細胞を移植しても、脳細胞は単なるトランジスターのごとくに電極として電流を配電するだけです。したがって脳細胞を移植しても人格や心に何事も変化が起こりません。一方、内臓を移植すると心まで替わってしまう事実が、心のありかが内臓にあることを物語っています。

注目されない魂の記録

このクレア・シルビアの魂の記録は、アメリカの臓器移植医学の最先端を行く心肺同時移植の輝かしい成果を示すとともに心のありかを検証した画期的な本です。しかし、生命の本質の魂や心が本当に肺と心臓という内臓腸管系に存在するということを証明しているから、この魂の記録は現代医学から無視されるのです。

今日の世界の医学界は自己・非自己の免疫学で成り立っています。この免疫学のお蔭で臓器移植が可能となったのです。しかし、心や魂が内臓に存在するとなると、本当の自己つまりアイデンティティー（自己の本体）は白血球の膜に存在する主要組織適合抗原（ＭＨＣ）ではなくて、腸管の持つ消化・吸収能力の傾向性つまり好みということになってしまいます。

第二章でくわしく述べますが、生命現象とは外界から消化吸収した栄養と酸素を反応させて、エネルギーの渦をめぐらせながら旧くなった細胞を新しくつくりかえ、これによりエイジングを克服するシステムです。生命の本質のリモデリングは、まず腸からの酸素と栄養の吸収がなければ何事も始まりません。この吸収能力がリモデリングの能力つまり欲求となります。腸の消化・吸収の能力と好き・嫌いが、とりもなおさず五欲の源です。つまり腸の能力が心を表すのです。それゆえ、腸を移植するとドナーの欲望が移植されるのです。欲望が心の源なのです。そして、白血球の膜が持つ主要組織適合抗原（ＭＨＣ＝ＨＬＡ）は、実際に筆者の研究で明らかとなったものですが、自己・非自己を見分けるのが本当の働きではなくて、旧くなって壊れかかった細胞や腫瘍細胞のような出来損ないの細胞をその膜の構造のほころびで見分けてこの駄目になった細胞を破壊して再利用する仕組みだったのです。

何よりも今のアメリカ医学の困ることとは、生命の本質の心や魂が腸管内臓系の五臓六腑に存在するとなれば、心臓が生きていても脳の機能が止まっていれば脳死、つまりヒトとしての死とする臓器移植の条件がご破算になってしまうことです。実際、生命は腸から発生しますから、腸が生きているかぎり、そのヒトは生きているのです。この事実が明るみに出れば、臓器移植は自然法に従えば殺人罪をおかしたことになりますから、もはや実施することが出来なくなってしまうのです。

腸の付属装置

つまり、クレア・シルビアの魂の声は、「生命科学がもう少し進めば、ドナーが生還出来るから、内臓が生きているうちに臓器を抜きにとってはいけないよ」ということをいっているのです。それでは医学者は困るから、この魂の声はあまり広く行き渡らないようになっているのでしょう。

副交感神経の横隔膜呼吸は、わが国の腹の文化で、これに対して胸で大きく息をする意志の呼吸が交感神経性の呼吸です。その精神性の強い頭の文化の西洋人の呼吸は、頭による意志の呼吸の優位性を示しています。

アメリカでは、どんなに内臓が元気でも、脳が傷ついて意思が表明出来なくなって話せなくなったら、もうおしまいです。脳死の条件を満たすと、すぐに臓器を抜かれてしまいます。わが国で最近開発された低体温療法で植物状態から回復出来るほどのケースでも、アメリカでは脳死として臓器を抜かれてしまうと聞きました。

ドナーが仮に色情狂だったら移植されたヒトは色情狂になります。色彩の好みも、食物の好き嫌いも、色情の好みもすべては、腸管の吸収と排出能力の好みなのです。考えてみると、視覚・嗅覚・触覚・聴覚・味覚といった脳の出先器官も、実際には、鰓腸《さいちょう》（鰓《えら》を形づくっている腸）の支配下にある腸の附属装置ということなのです。

ここで、質量のある物質とないエネルギーが等価、つまり生命にとっては同じものであるということを思い出してください。仏教でいう色と空がこれで、色とは質量のある物質のことです。空が質量のないエネルギーで光や空間、時間、温熱がこれに相当します。眼・耳・鼻・舌・心・意と触覚という仏教の感覚と意識の問題は、五蘊《ごうん》すなわち、色・受・想・行・識として森羅万象を把握する心身の二法とされています。色が肉体と質量のある物質の食物や酸素、受が感覚であり細胞の働き、つまりエネルギーで想が想念でやはり質量のないエネルギー、行とは心の作用で動く筋肉運動で、やはり筋肉細胞の働きでエネルギー、識とは意識のことで、外界と心つまり腸管の働きとを結ぶ窓口の脳細胞の働きで、やはり質量のないエネルギーです。考えてみると五感のうち鼻の嗅覚と味覚以外はすべて質量のないエネルギーであることがわかります。この世の中が質量のある物質だけで成立しているとする一九世紀の唯物思想がいかにもろかったかが改めて思い知らされます。

第二章　心はどこから生まれるか――系統発生学と臨床医学から探る

生命進化を腸でみる

「顔と心、身体《からだ》と精神」とよくいわれます。これは、顔が心を表し、筋肉の盛り上がる肉体が、そのヒトの精神を表すということです。

顔は、解剖学用語では顔面頭蓋《がんめんとうがい》または内臓頭蓋《ないぞうとうがい》と呼ばれていますが、これは、口腔を中心とした顔が本当に鰓の腸の内臓器官から生まれているためです。鰓の張った顔といわれる顎の骨ももともとは、本当に鰓の軟骨だったのです。

鰓というのは呼吸の仕組みのことで、魚の時代に息をする装置です。我々ヒトの祖先は本当に原始脊椎動物の軟骨魚類のネコザメだったのです。一連の研究で筆者がこれを明らかにしました。この息をする装置などの内臓腸管系に実は、心が宿っているのです。それで昔から、「顔と心」といわれていたのです。

顔は、生命の中で最も重要な呼吸を司る鰓腸の内臓筋で出来ています。腸には鰓のほかに消化吸収の腸と余った栄養と老廃の排出の腸（鯡腸《はいちょう》と名づける——筆者）の三種類があり、皆等しくこの内臓腸管系に魂や自我や心が宿っています。

腸の本当の仕事は、血液遊走細胞（赤血球・白血球等、最も旧い単細胞動物の形をとどめた細胞）をつくって、からだ中に栄養と情報を運ぶことです。

近世まで日本と中国と欧州では、生命の要の顔を扱う口腔科の医師が医者の中の医者としていました。二〇世紀には、この口腔科医がアメリカの臓器別医学のデンティストリー（歯科学）に取って代わられた時代でした。

筆者は、独力で口腔科医を復活させて一〇年前ごろから口腔科医を自認しています。それでこうしてまがりなりにも脊椎動物の重力進化学をつくったり、顔の発生と心と精神の発生学についての研究をしているのです。

与謝蕪村の俳詩の一節に、

　元を忘れ末をとる継木の梅

というのがあります。日本の医学がまさにこれです。しかも巧くいかない継木で、アメリカの臓器別医学が日本に入ってきて今日大混乱しています。臓器別医学でもアメリカではやっている臓器移植術の医療は、人体を用いた実験研究ということが出来ます。そして、心臓と肺を一時に移植する心肺同時移植術の人体実験ともいえる実際の治療経験で、前述のように本当に内臓に心が宿っていることが検証されています。

心は心臓にも宿りますが、本当の心のありかは肺のほうです。心臓は鰓の脈管系で、肺が鰓腸の腸管上皮から出来ているためです。腸の上皮の神経と筋肉の一体となった腸の総体に心が宿ります。心臓は肺という筋肉を持たない腸管上皮の脈管系の筋肉の一部と考えることが出来ます。

心と精神がどこに宿るかを正しく理解するには、正しい重力進化学に基づいた脊椎動物の腸についての進化の法則性の解明が必要です。そしてその研究のうえにも、実例としての実際のヒトにおける裏づけが必要です。

脳と心

心が脳にあると考えるのが、今日の日本人の常識です。実は筆者も、学生のころは心が脳にあると思っていました。ドイツ人の先生と話していたときに、心はどこにありますか？と聞かれたので、当然のこととして頭にあるといったときに少しあきれたような顔で嘲笑されたのを覚えています。

「心（Herz）は胸の心臓（Herz）にあり、精神（Geist）が脳（Gehirn）にあるのだよ」とゲーテのファウストを例にして諭すようにいわれたのを今でも思い出します。

当時筆者は、心が心臓にあるというのは、何も知らなかった古代人が考えた間違った知識で、それに基づいて臓器名がつけられたものと思っていたのです。もとより当時は、古代人が大脳辺縁系（内臓脳のことで、原始脊椎動物では大脳の中央部に存在するが哺乳動物では大脳の辺縁におしやられている）思考によって正確に真実を把握していたことを知らなかったのです。それ以来、ドイツ人が言った事が本当に正しいのかをずっと考えてきました。

ちょうどそのころ大学で三木成夫助教授（当時）の解剖学の「生命の形態学概論」の講義を受けていました。この三木成夫の形態学が筆者の「顔の科学」と「脊椎動物の重力進化学」、「顔の医学」、「健康と病気の科学」、「臨床系統発生学」、「赤ちゃんの進化学」、「生命と呼吸」、「新しい免疫学」を生みだす生涯にわたる研究の端緒になろうとは当時想像もしませんでした。

筆者は、四二歳の厄年を契機として口腔科の臨床医師として、ヒトの顔のうち顔面部分の内臓頭蓋を命を代表する複合臓器と見て「顔の医学」という新しい考え方で、身体全体の病気を治療し、病気の原因を考えてきました。二六歳から学者の道を選んで、「四〇歳にして立つ」時期に至っても学位論文の研究のみしかなかったことにわれながら驚いて、残りの人生をいかに有効に自己実現をはかるかを急拠考えた結果、当面これしか考えつかなかったのです。

幸いにも顔は生命に最も重要な呼吸と食物の入り口で、その上、外界を観て認識する眼・耳・鼻・舌・皮膚をそなえ、考えを表明する装置もあり、人格や心を表すともいわれていま す。もしかしたら心のありかも顔の医学の研究でわかるかもしれないとの期待もありました。

人工器官の開発

黙々と臨床研究を続けながら、自由に研究生活が送れる環境を整えて五年たったときに、セラミクス人工骨を用いて一九八八年に世界ではじめて哺乳動物型の歯根膜・セメント質・歯周骨ソケットを持つ人工歯根（本物の釘植型歯根に代わる人工器官としての歯。デンタルインプラントは骨に付くタイプで、爬虫類の折れては生え代わるシステムで咀嚼する歯には使えない不完全タイプ）を開発することに成功しました（図Ⅱ—1）。反復性の〇・二ミリメートルの波動性の生体力学という咀嚼運動によるエネルギーで、移植されたヒトや動物の細胞の遺伝子を使ってハイブリッド型（複合型）に、セメント質（線維骨）や歯根膜をつく

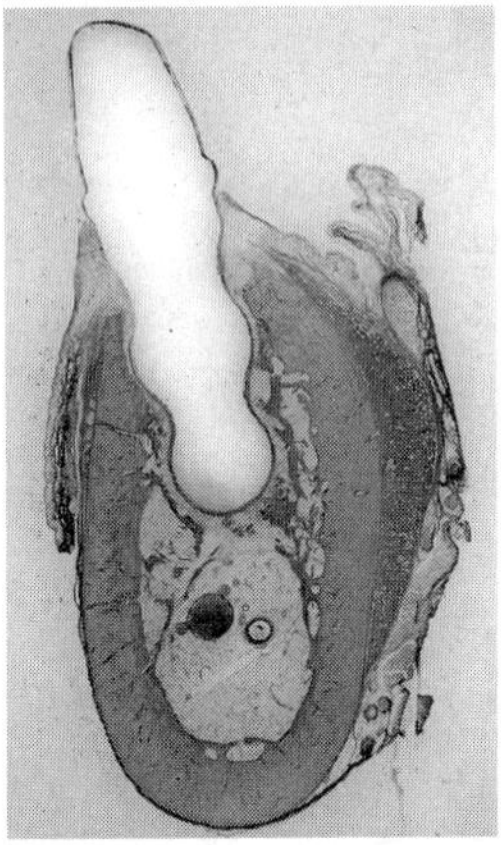

図Ⅱ—1　人工歯根植立標本（イヌ）

る手法によるものです。

その三年後には多孔性のセラミクス人工骨を用いて哺乳動物の筋肉内で、動物の細胞遺伝子と人工的に合成した素材を組み合わせたハイブリッド型の人工骨髄造血装置の開発に成功し、体液の流体力学刺激により筋肉細胞から骨髄造血巣と造骨細胞を世界で最初に誘導することが出来ました。皮下組織にこの多孔性の人工骨を移植すると何事も起こりません。人工骨で骨のない筋肉や皮下組織内に造血組織や骨をつくり出すことは絶対に不可能といわれていたときのことです。この二つの人工器官の開発により、脊椎動物の進化が、重力作用に対する生命体の対応で力学刺激を中心として起こっていることを発見したのです。たしかに、本来腸管で行う造血という仕事が骨髄腔に移るのは、脊椎動物の進化の第二革命の上陸劇のときで、哺乳類型の歯根膜（歯の周りにある靭帯関節で、このクッションで咬み砕くことが可能となる）のある歯（釘植歯《ていしょくし》という）が発生するのは第三革命の哺乳類の誕生のときです。ともに進化のエポックでのみ発生する生体の組織と仕組みが、生体力学刺激というエネルギーで出来ることを発見したのです。

実験進化学の考案

この人工骨髄装置（チャンバー）を骨髄造血システムを持たない原始型脊椎動物の代表の軟骨魚類のサメに移植して造血巣を誘導し、進化を先取りすることが出来ました（図Ⅱ―2）。進化が重力を中心とした力学刺激で起こることが明らかとなると、力学刺激を動物に与えて進化で起こる動物の器官の形や働きの変化を起こすことが出来ます。これこそまさにラマルクが一八〇九年に唱えた、身体の器官の使い方が一定になると、器官の形と大きさが決まるという用不用の法則が正しいことを証していています。

そこで、人為的に進化を生体力学刺激によって起こす実験進化学手法を考案しました。そしてサメとメキシコサンショーウオ（アホロートル）を陸上げして、その身体の変化を人為的に起こし、これを観察して、進化が重力を中心とした力学刺激をはじめとして、水から空気への変換、酸素量の激増等の複合刺激で起こることを検証することが出来ました。つまり同じ遺伝形質のまま、身体に作用する生活媒体や重力作用の変化に対応して動物が生き延びると、刺激に対応したからだの器官の細胞の形が自動的に変化するのです。これを化生

(metaplasia) といいます。

脊椎動物の大進化は、上陸劇一つしかありません。他の形の変容は、力学刺激のみでウォルフの法則（骨格システムの反復荷重による機能に従った形の変形の法則で、骨の機能適応形態の法則ともいう）によって、重力作用に基づく慣性の法則に従って、時間の経過とともに起こることが明らかとなりました。上陸劇では皮膚と呼吸器のみが水から空気への変換で変化し、骨格系が浮力に相殺されて六分の一Gの水中から六倍の一G（地球の重力作用）の変化に対応して軟骨が硬骨化します。これはサメが苦しまぎれにのたうち回って偶然、重力の増加に対応した結果、血圧が上昇して流動電位が上がり、この電位で軟骨細胞が造血細胞と造骨細胞に分化誘導されたためで、これも化生です。

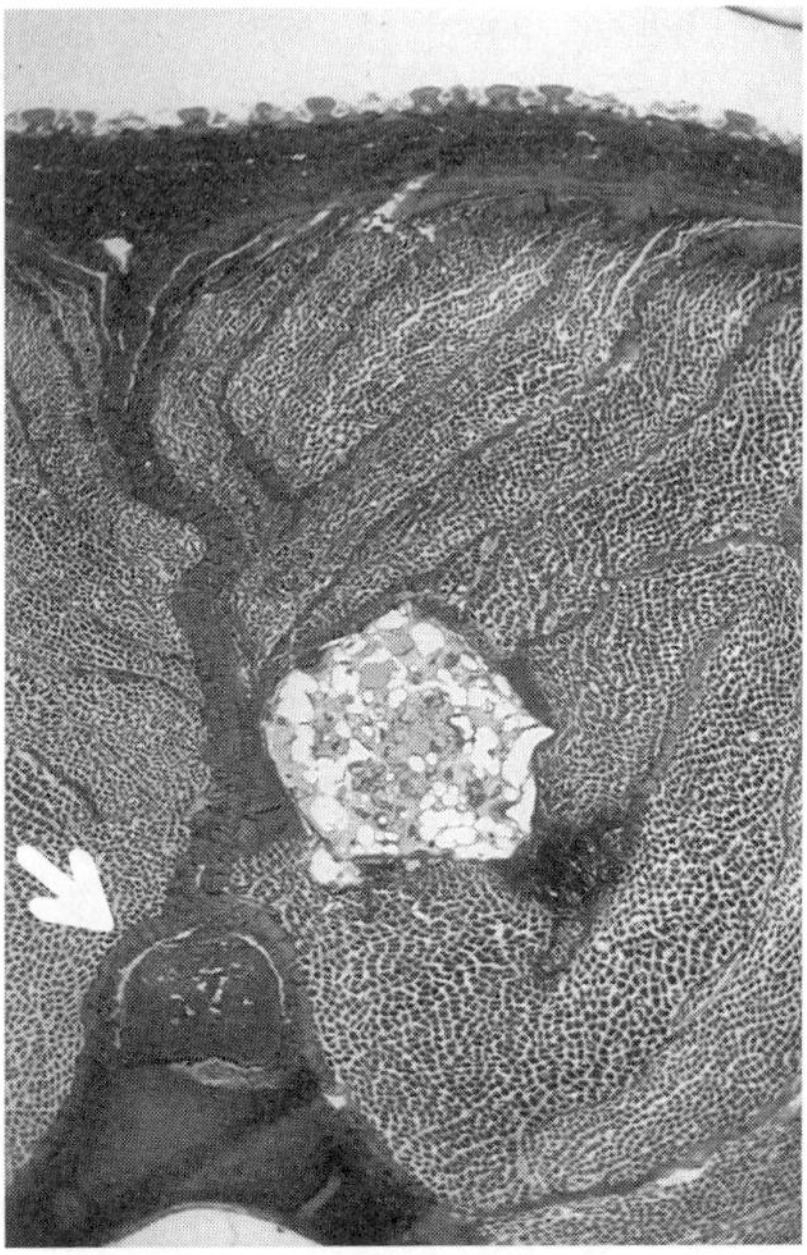

図Ⅱ—2　サメに人工骨髄移植後、誘導された造血巣（矢印）（人工骨髄の左下に造血巣が出来ている）

これで進化の大筋が明らかとなりました。

化生という現象は、ある器官の細胞が何らかの刺激を受けて別の器官の細胞に変化する現象をいう病理学用語です。哺乳動物のヒトの成体が六〇兆個の同じ遺伝形質を持った細胞で出来ていることを思い起こせば、何らかの刺激によって、特定の遺伝子の引き金が引かれれば細胞は何にでも化生することができるといえます。脊椎動物の進化の法則の本質的な要因が化生という現象にあったのです。

生命の本質――心と腸管内臓系

ものの本質を心とか魂といいます。生命の本質とは何でしょうか？　二〇世紀の分子生物学の端緒をつくったシュレーディンガーは生命の本質は遺伝現象にあると考えて、物理学的手法を用いた生物学研究を提唱して『生命とは何か』（一九五一年、岡小天訳、岩波書店）を著しました。彼の教唆に従って若い物理学者がなだれのごとくに、遺伝する最も単純なものとして細菌に寄生するウイルス（ファージという）とバクテリアを用いて遺伝の仕組みの解明が始められました。

しかし、遺伝の仕組みさえ解明すれば、生命現象の謎が解けるのでしょうか？　遺伝しない一代限りの生命現象はどうなるのでしょうか？　単細胞で生きている細菌（プロカリオータ：原核生物）や原生動物（ユーカリオータ：真核生物――一粒の細胞で生きている動物）や哺乳動物の培養細胞は、地球の引力（重力＝一G）の圏外にあり、一万G（地球の重力の一万倍）でも五万Gでも生きていますが、多細胞で出来ている脊椎動物は五Gで一日も生きていられません。

単細胞生命と高等動物では何か本質的に生命の仕組みが違うのでしょうか？　どうやら二〇世紀から二一世紀の今日でも、いまだに「生命とは何か？」の正しい定義がなされていなかったようです。

もとより遺伝現象は生命の本質に近いものですが、単細胞動物にも多細胞動物にも共通した生命の本質、つまり命の心といえるものがあるはずです。生き物と無生物の違いは、旧くなった物体のパーツを新しくつくり替えるか替えられないかの違いしかありません。

つくり替えることを新陳代謝といいます。これが生きているということで、旧くなったものを新しくつくり直すので、今日ではリモデリングといいます。個体全体のつくり替えが遺伝現象です。そしてこのつくり替えには、エネルギーが必要です。

シュレーディンガーの物理学的手法に基づいた生物学の新体系（分子生物学）には、生物の持つエネルギー代謝と生物に外から作用するエネルギーの働きという視点が抜けていたのです。ここまでわかれば、生命とは何かが容易に定義づけられます。

生命体とは「エネルギーの渦がめぐるとともに個体のパーツが発生・成長・リモデリングする仕組みのことで、これによりエイジングを克服する仕組みです。個体丸ごとのつくり替えが遺伝現象であり、通常は生殖を介する」のです。エネルギーの渦がめぐるというのは、高等な脊椎動物では、細胞呼吸と解糖のことで、ともに腸から吸収した栄養を好気的（酸素を使って）または嫌気的に（酸素なしで）分解して得られるエネルギーを生命活動に利用するのです。このエネルギーはもともと植物が太陽光線によって光合成でつくっていたものが、食物として腸から消化・吸収されることで得られるものです。

酸素も脊椎動物は鰓腸から吸収しますから、腸から吸収された物の分解によって得られるエネルギーで新陳代謝するのが生命です。肺も鰓腸に由来するから腸の一部です。そうすると生命の本質のリモデリングをつかさどるエネルギー源のすべてが腸に依存しているということです。脊椎動物以外の生物は皮膚呼吸を行いますから、腸と同じくらいに体壁系が身体にとって重要な働きを持っています。

脊椎動物ではまさに腸管内臓系が、生命の本質のリモデリング（新陳代謝と生殖）を支えるエネルギー源の酸素と食物の消化・吸収の器官で、生命の心（本質）つまり命の源の器官なのです。

生命の二つの仕組み

高等生命は腸から生まれ、腸で支えられています。腸がなければ生命はありえないのです。生命の本質（心・魂）はやはり腸にあるのです。そしてこの腸管上皮に備わった神経が、腸管の内腔と腸管の内臓平滑筋の状況を身体の皮膚の筋肉（体壁筋肉）に知らせるのです。この知らせを受けて体壁筋が動きます。つまり腸が感じて、からだの筋肉がその望む方向に動くのです。

これは動物が感じて動く感動のはじまりです。神経と筋肉と骨で出来たがっちりした体壁身体は生命の心の腸管を運ぶヴィークル（担体─車）にすぎません。

生命の本質がエネルギーの渦の回転とともに起こる細胞のリニューアルつまりリモデリングにあり、このリニューアルは究極では生殖システムのことです。これで生命の本質が老化（エイジング）に逆らって生きる仕組みということがわかりました。

この生命の仕組みにはすでに述べたような二つの重要な側面があります。

一つはエネルギーの渦という、とらえどころのない質量のない物質エネルギーの側面です。大乗仏教ではこれを空と呼びます。体温や生物電気、生物発光のほか、動物が持つ動きの力の源である生命エネルギーのことで、従来は、生理学、生化学、薬理学といった機能の学問として分類されていました。

心や精神・思考・霊・魂も実はこの質量のないエネルギーの一種ですが、これまではこの心や思考というものが生命エネルギーであるという認識がなかったのです。

もう一つの面がリニューアル、つまり細胞や組織・器官の発生・生長・つくり替え（リモデリング）のことで、つまりこれは動物の身体部分の側面で、質量のある物質で成り立っています。大乗仏教ではこれを色と呼びます。この学問が形態学です。

キリスト教の世界観では、体温と同じエネルギーの心や精神・思考や霊的現象と質量のある肉体との混同があります。

形態学とエネルギーの学問

形態学を近代科学で創ったのが、詩人で有名なゲーテで一七九五年のことです。彼は形態学を「生物の器官と形の命名と、生命形態の変容の法則性の解明」と定義しています。そして彼は、生涯にわたる形態学の研究を通して「生命体には目標も目的もない」ことを一九世紀のキリスト教世界において最初に認識した学者です。

確かに生命には目的がありません。ただ生命の仕組みそのものが自ずから再生産（リモデリング）するシステムとなっているのです。リモデリングに無上の悦びがあるのが生命なのです。この仕組みが命で、この生命の本質が腸にあるのです。したがってこのリモデリングの細胞の再生と個体の生殖を生命の目的であると考えることも出来ます。

生命現象と電気現象

生命現象は水溶液内における純然たる電子（イオン）の受け渡し、つまり電気現象の仕組みです。宇宙における最も繊細な電気反応系ですから、当然生命には目的も目標もありません。リモデリングと共役したエネルギー代謝、つまり水溶性コロイド内で新陳代謝とともにエネルギーの渦がめぐるのが生命です。新陳代謝では、当然発熱する。これが体温です。

個体丸ごとのリモデリングが生殖です。一つの細胞に還り、さらに減数分裂してハプロイド（遺伝子が半分の一重らせんになる）の原核生物の昔に還った精子と卵子が受精により、リニューアルが始まります。生命体は、質量のある物質の水溶性のコロイドとそれに備わった質量のないエネルギーをともなった電気現象です。

生命のエネルギーの渦は自ずとリモデリングを求めます。このリモデリングのエネルギーと質量のある栄養の取り込みの仕組みが腸にあり、究極のリモデリングの仕組みが生殖です。生殖もまた腸管・腹でするのが哺乳動物です。

ゲーテの創った形態学の目的は進化の法則性の解明にあります。ゲーテは、「器官の本質を知ろうと思ったら、その由来をたずねるように」と言っています。一八〇九年にフランスのラマルクが用不用の法則を進化学として提示した頃のことです。そして器官の本質は、その機能によって知ることが出来ます。したがってある器官の機能の本質を知ろうと思ったら、その由来をたずねればわかります。機能の変調がいわゆる難病（免疫病）です。そこで、ある器官の免疫病が発症すれば、その器官の由来をたずねれば病気の本質もわかるのです。

脊椎動物三つの謎

偉大なる生物界の巨匠のキュビエ、リンネ、ラマルク、ゲーテは、植物を含めたすべての形態の研究を行っていますが、最も興味を持ったのは何といっても動物界の名門の脊椎動物です。

脊椎動物には三つの謎があります。進化がどうして起こるのか？　免疫の仕組みはどうなっているのか？　腸の内臓の造血の仕組みが、高等動物だけに限ってどうして骨髄腔という体壁系に移るのか？　というものです。食物を消化吸収する腸とは、もともと食物が「やがて血となり肉となる」といわれる食物が肉となる前の血液をつくる造血の仕組みなのです。

筆者は、人工骨髄造血器を開発し、これを梃《てこ》として骨髄造血発生の謎を明らかにしました。その結果、三つの謎は、すべて脊椎動物の進化の第二革命の上陸劇で軟骨魚類のサメが陸に上がらざるを得なくなった地球環境にさらされたときに、重力と生活媒体の変化に直面して、身体のパーツの細胞が自動的に化生で変化した現象であることが明らかとなりました。

つまり同じ進化という現象の異なる三つの側面を見ていただけで、三つの謎は、生物の同じ重力対応にあったということです。同じ遺伝形質のまま、細胞の形が作用する刺激の変化によって変わった化生であったということです。

そしてこれら三つの謎の現象を引き起こす原因が主に質量のない物質エネルギーで、広い意味の生体力学刺激、つまり物理的（エネルギー）化学的（質量のある物質）刺激の作用であったということです。この作用で細胞の遺伝子の引き金が引かれるのです。

骨髄造血の発生が、進化の起こる重力エネルギーの作用によることが明らかとなり、進化が解明されても、免疫システムがどうなっているのかは簡単にはわかりません。なぜかといえば、免疫系の発生というのは、組織免疫系、つまり移植したときに生着するか拒絶されるかを決める主要組織適合抗原の発生だけが、骨髄造血の発生と期を同じくする上陸劇の重力作用によることだけしかわからないからです。

免疫の仕組み、つまり病気を克服するシステムは、この主要組織適合抗原だけにあるわけではないのです。三つの謎、つまり三つの機能で一番厄介なのが免疫の仕組みなのです。病気を克服するシステムとはエネルギーの渦の回転とともにおこるリモデリングの仕組みそのものにありそうです。したがって、本書の主題、心と精神がどこから生まれるのかを明らかにする前にこの免疫の仕組みを明らかにしなければなりません。免疫の仕組みはまず組織免疫の発生と器官の機能変調の由来をたずねる手法で解明されます。

口脳と肛脳と腸の脳

「一寸の虫にも五分の魂」ということわざがあります。高等動物のはじまりは、まず腸が発生し、それから徐々に複雑な体制が出来てきます。どうやら心や魂は腸を持った動物に宿るようです。脊椎動物の進化を解明すれば、心や魂や霊や精神の発生学も明らかとなるかもしれないという見当がつきます。

原始動物をシェーマ（模式図）で考えてみると、まず腸から動物が出来て腔腸動物が生まれ、この腔腸動物に口が出来て後口動物が発生します。これが脊椎動物のはじまりで、内側と外側の二重のチューブで出来ています。外側のチューブが外胚葉上皮とからだを動かす筋肉（中胚葉の体壁筋肉）で、内側チューブが内胚葉上皮（腸）と腸を動かす内臓平滑筋（中胚葉の内臓筋）です。外側と内側の上皮にそれぞれ筋肉が裏打ちされています。

上皮が細胞膜でつながってそれぞれの筋肉に上皮の周りの状態を知らせます。これが神経で、これは膜電位（生物の細胞の細胞膜をはさんで発生する電位。静止時はマイナス、興奮時はプラスとなる）とイオンチャンネル（特定のイオンを細胞内に通過させる働き）で制御されています。上皮は細胞膜が連続して一層の細胞が敷きつめられていて、自ら動く装置ではないので上皮には血管がありません。筋肉の動きにつられて動くのが上皮です。

外胚葉に附属する筋肉も内胚葉に附属する筋肉もともに血管が豊富にあります。動物の特徴である動きの源の装置をつくっているのが中胚葉システムで、脈管の循環系と筋肉系から成り、内臓筋にも内臓骨格の軟骨があり、体壁系には筋肉を支えるシステムの骨と軟骨と腱が存在します。この中胚葉は流体力学の流動電位によって制御されています。

外胚葉の皮膚と脳と神経組織と中胚葉の体壁運動システムの仲立ちをするのが、神経系によってコントロールされるホルモンです。皮膚の神経と腸の神経の合わさった神経の束が脳脊髄中枢神経です。もともと脊髄は体節一コマずつ見ると、一つの体節に一つあった脳です。

単体節の原索動物のホヤが遺伝子重複（遺伝子ユニットが二倍・三倍になる二倍体・三倍体のこと）して多体節動物が出来ると考えられますが、それぞれの体節の脳が連続して脊髄になると、中枢神経は三種類に分けられます。腸の出口と入り口に皮膚と腸管の神経が合わさりますから、口脳＝鰓脳（呼吸・咀嚼・消化吸収と感覚・運動の脳で筆者の造語）と肛脳＝鰓脳（生殖・泌尿・排出の脳）があり、その中間に真っ暗闇の腸の脳＝腸脳（延髄と脊髄副交感神経の二重支配の領域）があります（図Ⅲ—8）。

生命は腸から生まれますから、常に腸管の内腔のありようによってからだの状態が決まります。腸の要求に従って身体の筋肉を使って移動するのが動物の特徴です。どうやらこの腸の筋肉の動きのありよう、つまり腸の望みが心や魂ということらしいのです。

心と精神の発生

「心と精神の発生」を明らかにするには、まずこれらに関連する臓器や器官の進化を解明しなければなりません。それには今まで述べてきたように、腸や脳や神経系や心臓・腸管系の進化を明らかにする必要があります。

人工骨髄の開発研究で、進化が本当に動物の重力対応によって起こっていることを明らかにして以来、ホヤから円口類のメクラウナギやサメ、アホロートル、ゼノプス、イモリ、トカゲ、ウズラ、ラット、マウス、イヌ、サルを使って、進化に関する系統発生学的研究と比較形態学的研究を行いました。その結果、哺乳動物になるサメを発見したり、舌がサメの呼吸内臓筋に由来すること、横隔膜がすでにサメに存在していてサメの囲心腔底から発生すること、鎖骨が鰓弓骨の延長したものであることを発見しました。詳しくは後述します。

これらの形態学研究のみでは、心や精神の発生を究明することは出来ません。「顔と心」「身体と精神」くらいのことはわかっても、心や精神が体温や発汗と同じ生命エネルギーとなれば、これは細胞の働き、つまり機能の学問ですから、機能の解明の方法からアプローチしなければならないのです。

免疫の仕組みの移植実験による解明

機能で最も難しいのが免疫の仕組みです。今日、何がなんだかわからなくなっているのが自己・非自己の免疫学です。それで昔は治せた免疫病も治せなくなってしまっています。自己・非自己の免疫学が何か本質的に誤っているに違いありません。そこで自己・非自己の免疫学の中心的な課題である「移植（組織）免疫系」の発生について進化の観点から究明することにしました。ヘッケルの「個体発生は系統発生を繰り返す」という生命反復学説は、形態学についての学説ですが、機能を中心とする組織免疫系の発生も、骨髄造血系の発生と同様に重力が大きく関与しているに違いないと思われるからです。なぜかと言えば、主要組織適合抗原（ＨＬＡ）は主として白血球の膜にあり、白血球の発生と分化も造血系の進化に含まれるからです。ヒトを含めて哺乳動物の胎児の臓器や器官・組織は成体に移植が可能です。胎生期には、主要組織適合抗原の遺伝子はありますが、機能しないで眠っています。これを免疫寛容といいます。つまり遺伝子があってもその遺伝子の機能である蛋白質の抗原が出来ないのです。遺伝子とは蛋白質をつくる暗号の情報なのです。

造血系の発生の研究から、腸管の脾臓から骨髄腔に造血組織が移動するのが重力作用によることを筆者が解明したときに、主要組織適合抗原の遺伝子の引き金も同時に重力作用への対応によって引かれるに違いないとの確信に近い見当がつきました。これを検証することは、実にシンプルな実験で可能です。

従来は生着が不可能だといわれていたサメ同士の同種の皮膚移植とサメと円口類、サメとゼノプス、サメと哺乳動物の皮膚移植を行い、すべて見事に生着しました。サメの角膜や脳や腸までも哺乳動物のそれぞれの器官に移植出来たときには大変喜んだものです。

臨床系統発生学をつくる

こうして自己・非自己の免疫学の要《かなめ》の主要組織適合抗原が自己・非自己を見分けるシステムではなくて、旧くなった細胞や癌細胞・良性腫瘍細胞を白血球膜に存在する適合抗原で見分けるリモデリングのシステムであることを明らかにしました。つまり白血球の膜に存在する新陳代謝をつかさどる仕組みが主要組織適合抗原だったのです。

そこで種々様々な種類の免疫病の患者さんをじっくりと観察し、進化の研究から得られた臓器の相関性とヒトの身体の構造的欠陥やからだの使い方の偏りや誤りを調べ、疾患の発症との関連を研究する臨床系統発生学（practical phylogenetics）という臨床医学の手法を考案しました。重力進化学と医学とを統合したのです。移植実験でできた自己・非自己の免疫学の誤りを繰り返さないために、病気を観察して、正常人と免疫病を発症する人との違いをエネルギー代謝やエネルギーの作用の面からくわしく明らかにしました。つまり細菌学が出来たところと全く同様に病気を治すための医学の手法をとったのです。

その結果、免疫病が広範で種々雑多な要因が原因となって起こるエネルギー代謝の変調にあることが明らかとなりました。

エネルギー代謝と免疫病

エネルギー代謝は大半がヒトでは呼吸によりますから、細胞呼吸の小器官ミトコンドリアの働きを変調したり、ミトコンドリアをつくる素材を直接障害する寄生体（細菌やウイルス）やエネルギー小器官の代謝に必須のビタミンB、C、補酵素の欠乏や酸素不足等によって免疫病が発症することが明らかとなりました。

実際の治療例で重症の痴呆と皮疹で白血病の診断のもとに内科で治療を受けていた老人が、重度の歯周病の歯を一〇本ほど抜いただけですべて治ってしまった症例や、ひどいじんましんとともに気絶する六七歳の女性が口呼吸を鼻呼吸に改めただけで治癒してしまった症例がありました。歯周病菌（雑菌）が体中の白血球を汚染すれば皮疹と痴呆が起こるのです。こんなものを白血病と間違えて治療して治るはずがありません。

歯の周りにある顎の骨は、皮骨といってサメの時代の皮膚に由来します。この骨の骨髄造血巣が歯周病菌におかされて体中の白血球がバイ菌に汚染されたのです。脳も眼も神経も皮膚と同様に外胚葉に由来します。つまり由来の同じ器官がすべて白血球が運び屋となって雑菌でやられるのです。雑菌が皮疹と脳の間葉グリアのただれを引き起こしているのです。気絶するおばあさんは、車の排気ガスが口呼吸で扁桃と肺から吸収され、じんましんが発症し脳の間葉グリアもただれて気絶するのです。

また、失明して一三年経過した四三歳の男性が、筆者の『健康は呼吸で決まる』を音声に変換して聞いて治療のために訪ねて来ました。アトピー皮炎と口呼吸の顔でしたので、「発症前に無茶苦茶にスポーツをしましたね」と聞きますと、「アメフトとラグビーをしていましたが、やめて三年目に車を運転していて突然信号がなくなって失明に気づきました」。

これは無茶をしてアトピーが網膜に起こっただけです。口呼吸で扁桃のM細胞（マイクロビリー細胞─分泌型のインムノグロブリンAをつくる腸扁桃の仕組み）の濾胞から入る好気性の雑菌でアトピー皮炎が起こるのです。アトピー皮炎は骨休めと鼻呼吸で簡単に治せますので、これを治して腸を温めてよく噛んで食事をするように指導し、腹を大切にした結果、この患者さんはうっすらと色までわかるほどに回復しました。このように皮膚を中心にした体壁系の免疫病が脳の神経や精神・思考までも壊します。

精神と心の病

このように腸の特徴とその機能を無視すると、直接、脳や皮膚等体壁系に影響して思考や思想・精神を障害します。一方、腸の機能が種々の理由で衰えて腸の門脈の酸素不足になると、内臓から活力が失われます。これは往々にして心の病になります。

骨休め不足の内臓下垂と腸を冷やす冷たい物中毒、噛まない雑な食べ方と口呼吸で腸の内臓筋をいためることにより、生理痛、子宮内膜症、頭痛、偏頭痛、ノイローゼ、うつ病といった副交感神経の変調による心の病が起こります。これに対して体壁系の筋肉が極端に緊張したり疲労する短時間睡眠と口呼吸・胸式呼吸と腸とからだを冷やす冷たい物中毒と食事の不規則、交感神経の緊張による変調でパニックシンドローム、過呼吸症、精神分裂病（統合失調）が発症します。自律神経系の変調による心と精神の病もまたエネルギー代謝の乱れによる免疫病なのです。

これらの免疫病のヒトは、決まって骨休め不足と、冷たい物中毒で腸を冷やし、噛まない食べ方で腸を痛めつけ、そのうえ口で呼吸しているヒトです。口で呼吸が可能なのは、哺乳動物では一歳以後の人類だけです。これが人体の仕組みの最大の弱点となっているのです。

口呼吸と腸を冷やすことで、扁桃のM細胞から、とめどなく常在菌が白血球に乗って身体をめぐるのです。骨休め不足では、骨の中で血液を作る仕組みがうまく働かずに白血球がくたびれてしまうと、この常在菌がからだのあちこちで悪さを始めるのです。

自己・非自己を見分ける白血球の主要組織適合抗原というのは、免疫学者の大きな見当違いで、昔よく言われていた新陳代謝という、一日に一兆個の細胞がつくり替わるリモデリングのときに、旧くなった細胞と腫瘍細胞をくたびれたり壊れた細胞膜で見分けてリンパ球が壊す仕組みだったのです。一連の臨床研究で、質量のないエネルギーで病気が起こり、腸の性質を無視したために病原菌でないただの雑菌や蛋白質によって免疫病が起こっていることを発見しました。

これで病気を余すところなく解明すると、心の病気の治療の手立ても精神の病気の治療法の手立てもわかるのです。心も精神も生命エネルギーの一種です。

生命エネルギーとは、蛋白質と核酸と糖・脂質から成る有機体としての生命機械の細胞が動いて働いているときに発生する温熱・電流・電磁波・光です。このエネルギーにより多細胞動物は、体表と腸管上皮から常時体内に入ってくる栄養分、酸素、毒物、微生物、寄生虫等の有害・無害・有益物質を白血球が消化、無毒化、同化、異化し、エネルギー代謝を回し、リモデリングに役立てます。この力が免疫力です。消化できないときには感染したり毒物にやられてしまいます。これが感染性の免疫病です。これらのことがらはすべて従来の「質量保存の法則」に基づいた生命科学の手法では全く歯が立たないのは無理からぬことです。一九世紀の宇宙理解で質量のある物質だけで治そうとする現代医学が、どだい時代遅れで無理な話なのです。進化を解明すれば、外科的な疾患を除いて、すべては一人のすぐれた上医によって予防も治療も可能な時代がやってくるのです。

こうして生命科学にエネルギー保存の法則を導入して、進化学と免疫システムとを統合して新しい免疫学を樹立することが出来ました。そしてようやくにして人類の最も不思議と考えられる心や魂、霊や精神、思考や気功について、その発生がどのようになっているかを考える道筋が整ったように思えます。

心の宿る細胞と臓器

心が生命エネルギーとすると、多細胞動物のどこに心が宿るのか、そして心は単細胞動物にも宿るのか疑問がわいてきます。心は当然、単細胞動物の核酸と蛋白質・糖類・脂質・塩類・リン酸からなる生命機械の生命活動すなわち機能の中に宿っています。そして多細胞動物では、生命の源の最も旧い腸管内臓系器官の機能、つまり広い意味の腸管の蠕動《ぜんどう》運動と消化吸収機能と原始の単細胞の原生動物の姿を十億年以上保っている白血球に宿っているのです。これに対して、高度に機能分化した神経細胞や皮膚・骨・軟骨細胞は心の機能がほとんど失われてしまいます。

そして精神と思考は、交感神経と錐体路系の発生した後の高等動物の体壁運動筋肉系の運動機能の中に宿りますから、これらを持たない原始脊椎動物から下等の原生動物に至るまで、精神という生命エネルギーの発生がありません。

心と精神が、細胞と細胞群の最も高度の機能によって発生する生命エネルギーであることがようやく明らかとなったところで免疫システムを考えると、心と精神に次いで高度な生命のエネルギー代謝、すなわち白血球を中心とした血液の機能が免疫力ということになります。この免疫システムがエネルギー代謝、すなわち質量のない物質の渦の回転とともに起こるリモデリングの障害と無害のはずの常在菌の感染を受けると、免疫病が発症することを解明し、これまで難病といわれた治療法のわからなかった疾患を、エネルギーの面から根治的に治癒させる手法を考えました。

第三章　心と精神の発生学――呼吸器、腸、神経、筋肉

はじめに

生命進化学を解明しても、心がどこに宿り、どこから生まれるかが明らかとなるはずです。しかし本当に脊椎動物の進化が完璧に解明されなければ、これはどだい無理な話です。筆者は、先にも述べましたが、脊椎動物の進化の第二革命の上陸劇で突如として骨髄造血の仕組みが発生する謎と、第三革命の哺乳動物の釘植歯《ていしょくし》の仕組みが発生する謎を明らかにしました。

ともにセラミックスの人工骨と人工歯根を用いて、生体力学エネルギーの体液の流体力学刺激によって、ハイブリッド型に、つまり移植して受容者（レシピエント）の持つ細胞遺伝子の力をかりて協同してセラミックスの表面にセメント質と線維組織や造血組織と骨組織をつくり出す手法を開発しました。

動物の身体の使い方が変わると、同じ遺伝子を持ったまま、エネルギーの受け方の変化に

よって動物の器官の形や機能が変わるのです。

この行動様式の変化さえ何らかの方法で伝えれば、形の変形は同じ遺伝子のまま次代に伝えられるのです。つまりエネルギーの変化によって、同じ遺伝子の別の部位の引き金が引かれて別の形や機能の細胞に変わるのです。前述のようにこれを病理学用語で化生といいます。行動様式を何らかの方法、たとえば教育によってでも、子どもに伝えると、子どもは覚えることで行動様式が伝わります。そうすると行動様式に従って手や足や顎や顔の形が少しずつ生長とともに変わります。これを何千何万代と続けるうちに、生殖細胞に百万回に一度起こるコピーミス、つまり突然変異によって、形の変化を後追いして遺伝子の無目的な変化が起こります。これが分子進化です。

これにより蛋白質にわずかながら変化が現れます。これが蓄積すると、もはや行動様式を発育の初期に元に戻しても変化させても、昔の種の形には戻らなくなります。こうして新しい行動様式が定着すると、形が変化して新しい種が同じ遺伝形質のまま分離します。行動様式を長期に、累代にわたり伝えると、時間の経過とともに少しずつ遺伝子が変化して、ついには形も遺伝子も異なる種が分離します。

アホロートル（両生類のウーパールーパー）の陸上げ実験がだれにでもうまくいくのは、

水をなくせば爬虫類型に変化する細胞遺伝子の引き金が引かれるからです。しかしアホロートルもあと一千万年くらい水中だけで生活を続ければ、もはや水を減らしても爬虫類型には戻れなくなります。後追いの分子進化によります。こうして獲得形質は遺伝するようになります。哺乳動物と両生類・爬虫類・鳥類を分け隔てる顔のパーツは外鼻形だけです。象形文字の鼻の形（後述）をしているのが哺乳動物で、他は二つの小孔のみです。これは哺乳動物と他の宗族の祖先が異なることを意味します。

クローンのドーリーの誕生でわかるように、我々の身体をつくる基本的な間葉細胞は、個体のすべての器官をつくるだけの遺伝子を持っています。この遺伝子の引き金を引くのが、ある場合には電流・電磁波・超音波で、ある場合には酸素や化学物質です。進化は、まぎれもなく骨格系に発生する流動電位と、神経系に発生する膜電位とそれによって分泌されるホルモンの三種類の協同作業のもとに、同じ遺伝形質を保ったまま、一定した行動様式の変化によって起こっているのです。

とすると本当に進化を理解しようと思ったら、どうしてもエネルギーとは何かをよく理解しなければなりません。

自然科学の本義は「錯綜する現象の背後に潜む法則性の解明」です。これはすでに形態学を創始したゲーテや進化の法則を解明したラマルクが一九世紀初頭に提唱しているものです。学問には厳密な「学・術・論・法」という科学のための技法のヒエラルヒーがあります。

現代生命科学には、①宇宙の構成則と生命の関係 ②学問の細分化と還元主義 ③唯物思想 ④分子生物学の落とし穴 ⑤脊椎動物学の不在、の五つの問題点があります。生命現象は、宇宙における最も高次に集約された反応系です。

宇宙を構成する要素は、①時間 ②空間 ③質量のある物質 ④重力・力学エネルギー ⑤電磁波などの波動・熱力学エネルギーの五種類ですが、今日でも質量のある物質だけで生命のみならず、すべての事象が語られています。そのため携帯電話でペースメーカーや飛行機の計器が狂うことを多くの人が予測できなかったのです。重力や電磁波のエネルギーや熱力学エネルギーも時間の作用も生命体の代謝には本質的に重要なのです。

これでようやく二〇世紀のサイエンスの成果を、二一世紀の今日、一〇〇年遅れで進化の学問に導入することが出来ました。これから心と精神の系統発生学を、呼吸器や腸、神経、筋肉などの進化を通して考えていきましょう。

1　鼻からみる生命進化

顔の源

ヒトの顔は、生命を代表する複合器官で、人格・性格・品性・精神・心を表します。つらがまえということばが示すように顔の構造そのものが、ヒトの魂つまり腹のうちを示すのです。顔の中心にあるのが外鼻で、自分を表す「自」という文字の源が鼻です。

脊椎動物には、三つの脳があります。脳とは、腸の内胚葉上皮の神経と皮膚の外胚葉上皮の神経の合体した神経管の束ですから、口側の脳の鰓脳と肛側の脳の鮭《はい》脳とその中間の真暗闇の腹の消化・吸収の腸の腸脳の三種です。

そして顔と泌尿・生殖・肛門は腸の筋肉が外胚葉の皮膚直下にまでせり出した器官なのです。心や魂は、腸管内臓系にありますから、顔と生殖器の形が心と魂を表しているのです。それで口脳と肛脳をつかさどる複合器官の顔と生殖器の形を見ると、ヒトは発情して真暗闇の腸と鮭腸が作動するようにプログラムが出来ているのです。

形態学を創始したゲーテも頭蓋骨の研究を通して、ヒトの容姿容貌がよびおこす感情と情動の不思議さに生涯にわたり悩まされ続けたのでした。アメリカのパッカード、コープ、オズボーン、シンプソン、マーシュ等は、頭蓋骨と歯を用いて哺乳動物の進化に関する研究を一九世紀末から二〇世紀初頭にかけて行い、ラマルク学説を主張しました。アメリカのネオラマルキストと言われたこれらの学者も、目的論的な生命哲学から脱却出来なかったために、進化論をサイエンスとして重力作用の因果の理法で解明する進化学にすることが出来なくて迷走したのが二〇世紀だったのです。

顔は脊椎動物の最先端の体節で、その源は単体節の原索動物のホヤです（図V—1参照）。ホヤには顔の器官の全てがあり、鰓腸も胃腸も鰓腸もあります。脊椎動物はこの単体節のホヤが何回かの遺伝子重複を繰り返して数珠つなぎとなった鎖サルパ形の多体節の一個体が頭進（水中を頭のある方向に進むこと）した結果、用不用の法則に従って単体節のホヤの形によく似た口、鰓腸、消化・吸収腸、鯡腸、肛門、尾とならんだ動物です（図Ⅲ—2参照）。

細胞呼吸のミトコンドリアの働き

ホヤのはるか前の原生動物は、マラリア原虫、ゾウリムシ、アメーバ等、単細胞で生きている動物ですが、これらには、種によっては、眼に相当する光点や口、擬足、嗅覚・味覚に近い化学物質センサー、触覚に相当する繊毛を持っています。つまり一粒で顔の原器と身体器官のすべてを持ち、心も記憶も当然持っているのです。原生動物も遺伝子の一部を種々の細胞小器官の形成に当てています。ただ、ミトコンドリアだけは、真核生物（ユーカリオータ、本当の核を持つ細胞）に寄生した原核生物（プロカリオータ）ですから、ミトコンドリアのＤＮＡ・ＲＮＡを複製するポリメラーゼだけを核の遺伝子がつくります。

多細胞動物は、遺伝子の一部で、多細胞性の一つの器官をつくります。多細胞の脊椎動物では、ミトコンドリアがエネルギー代謝の中心の細胞呼吸を担当しています。

脊椎動物は、骨化の程度は異なるが、骨性の脊柱を持つ脊索動物であり、特徴器官が腸管呼吸を行うことです。骨と鰓呼吸と細胞呼吸の関係を究明すれば、脊椎動物の謎は解けます。顔には、骨も歯もあり、鰓呼吸の入り口の鼻もあり、もとより顔が鰓腸管の筋肉で出来ていますから、当然顔を研究するだけで進化も免疫も骨髄造血の謎も解けるのです。

用不用とウォルフの法則

脊椎動物の形は、動き方が一定すると、ウォルフの法則に従ってそのかまえ、つまり構造と形が決まります。これは、身体の部位の動きが、神経をともなった筋肉を誘導するとともに、骨格の軟骨や硬骨が、ウォルフの法則に則って形が変わる性質を持つからです。

ウォルフの法則というのは経験則で、その実態は、身体の動きで体内を流れる流体力学の作用が変わると、これが流動電位の変化を引き起こし、この電位で筋肉細胞や血管内皮細胞の遺伝子の引き金が引かれて、種々のサイトカインが誘導され、それにより筋肉骨格系の形が変化するというものです。このとき、筋肉の増生とともに血管も誘導されます。ウォルフの法則は、ラマルクの用不用の法則を骨格筋と骨の形だけにあてはめた部分則と見ることが出来ます。

こうして脊椎動物は、同じ遺伝形質のまま、動きに従って形が変わるのです。ある動物が天変地異の環境の激変で、食物や生活媒体が水から空気へと変わると、やがて歯と顔と手足の形が変化します。行動様式の中で、食べることが生活に占める力学作用が最も大きいからです。そしてこの形の変化は、個体発生で再現されます。哺乳動物の個体発生を遡ると、ひとしく頭と顔の形が原始哺乳類型からネコザメ型になり、さらに鰓器が古代ヤツメ型になり最初のステージで単体節のホヤ型になります。このことは脊椎動物のオリジンは本当にサメであり、円口類であり、ホヤであることを意味するのです。

哺乳動物の源と鼻の形

哺乳動物の胎児の形を遡ると、ひとしく原始の軟骨魚類型になります。脊椎動物でも、哺乳動物以外の鳥類・爬虫類・両生類は明らかに胎生の形が哺乳動物のそれとは少し異なります。

ヒトの胎児で三二日から三四日の形に似ている原始の軟骨魚類を探してみましょう。こうしてすぐに見つかるのがネコザメで、学名がHeterodontas japonicusです。哺乳動物は、長ずると咀嚼を行う、哺乳・吸啜のシステムを持って生まれる動物です。咀嚼を行う歯がHeterodontia異型歯性つまり顎の部位に従って形が違う歯です。従って、ネコザメの学名は「哺乳動物の歯を持つサメ」という意味なのです。このサメは、あらゆる点で普通のサメとは違っていますから、本当に哺乳動物になることはまちがいなしです。

まず、ネコザメはエビやサザエを殻ごとバリバリと咀嚼します。それで歯はすでに三種類あります。サメ型の切歯とサメ型の犬歯とカワラ状の臼歯が上顎も下顎もびっしりと敷きつめられています。内骨格も一部骨化していて骨髄造血も発生しています。心臓も大きくて、囲心腔の背側に軟骨があり、口側が開いているため胸線と肺が後進すると囲心腔内に入ります。そして鼻孔が口腔内に開いています。この外鼻の型は哺乳動物の鼻の形をしています。

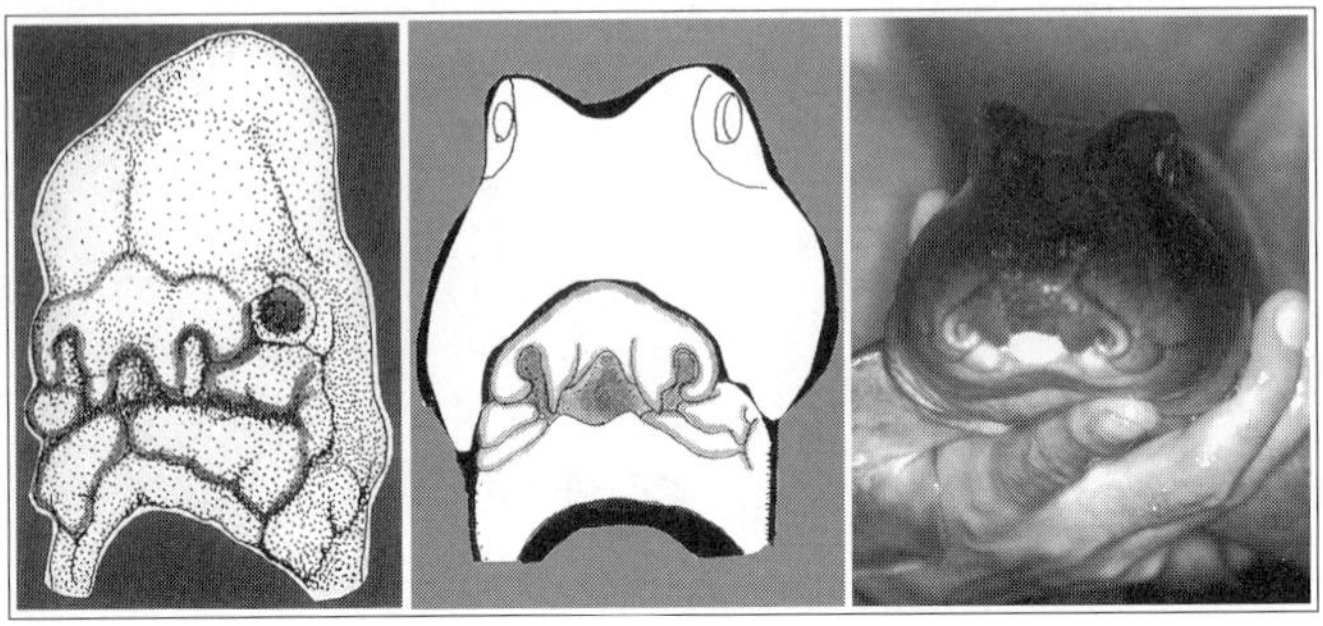

図Ⅲ—1　ネコザメの顔とヒト胎児の顔（イラスト左：ヒト胎児、右：ネコザメ、写真はネコザメ正面の顔）

つまりこのサメの鼻の形はすでに象形文字の形なのです。そして頬部に咬筋によく似た鰓弓筋に由来する咀嚼筋が発達しています。

このサメは、九州や広島で盆と正月に高級料理として食べますが、まるでチョウザメの肉のごとく、サメの不快臭もなく、うまいのです。

筆者は、サメの組織や器官を哺乳動物に移植してすべての手術に成功し、ヘッケルの個体発生は系統発生を繰り返すという生命発生原則を組織免疫システムにおいて検証しましたが、元来この学説は形態学のものです。従って形の比較でも容易に検証が可能だったのですが、世界中でこのヘッケルを本当に信じてはいなかったのです。それでネコザメがヒトをはじめとする哺乳動物の胎児と同じ顔をしている（図Ⅲ—1）のを見落としてしまったのです。

ネコザメの外鼻形が哺乳類型で、はなれた鼻孔は、顎を強力に咀嚼で使うと左右の鼻孔が正中で合わさって鼻の中央部のひろがりがぴたりと閉鎖してイヌやネコの筋《すじ》になります。他のサメの鼻孔は、嗅覚のみで皮膚に開いているのに対して、ネコザメは口腔内に開き、すでに鰓呼吸を鼻でしています。他のサメがすべて口で鰓呼吸をしているのとは大きく異なります。爬虫類・鳥類・両生類は、気管が舌に開いていて鼻はちょうどネコザメの形で口に開いていて、これらは口呼吸をしています。

メクラウナギはすでに鼻孔からのどに通じる管が開いていて、鰓呼吸を鼻で行っています。そしてからだの表面がヌルヌルの粘液で覆われています。サメではネコザメだけがヌルヌルの粘液で覆われています。

結局ヒトの顔の原型は、ネコザメに求めることができます。ネコザメの外鼻形はヒト胎児の三四日のそれと細部に至るまで部品が対応し、やがてエンブリオ期（系統発生のステージを再現して哺乳動物の顔の形が完成するまでの胎生期間）が終わりフィータス（哺乳動物のヒト形になってから出生するまでの胎児）となるときに、口唇となる口腔のパーツのすべてが融合してヒトの顔が完成します。三八日目には、外鼻と口腔の周囲に存在する溝が融合してヒトの顔が完成します。三六日の癒合していない状態の動物は、今日現生のものは存在しません。ただ癒合が不充分で筋《すじ》が残っている動物が兎で、イヌやネコ、ライオンも筋として残っています。本当に裂けたまま生まれてくるのが、ヒトの唇裂（兎唇）、口蓋裂、斜顔裂、横顔裂です。これらの発生原因は、ちょうど受胎後三六日から三八日までの癒合期に、母胎が酸素不足になると発生過程が障害されて、融合しないで先祖がえりを起こすのです。

ネコザメの外鼻はほとんど動きませんが、陸に上がってのたうち回って咀嚼運動を続けているうちに、鰓腸呼吸筋が外呼吸と咀嚼時に連動するようになります。哺乳動物では呼吸時に鼻翼を広げて横隔膜呼吸をしますが、口呼吸を常習とする多くの日本人はこれが不得手で臨終まぎわに最後の鼻翼呼吸をして、この世を去ります。脊椎動物五億年の進化のはてに、もはやいくら鼻翼の呼吸筋肉を動かしても外呼吸器の鰓をはなれた筋肉では酸素呼吸は全く行われないのに、筋肉だけは動くのです。これが死にのぞんでつかの間に再現される古生代の鰓呼吸の名残りです。

ネコザメに見られる、哺乳動物の外鼻形の鼻を通して、肺で外呼吸を行う我々ヒトは、呼気と吸気で酸素を血球に取り込み、炭酸ガスを排出します。細胞呼吸では、この酸素を原核生物の寄生体ミトコンドリアが使ってエネルギー代謝をつかさどります。このエネルギーを使って哺乳動物は発生・分化・生長・新陳代謝をして老化を克服しています。我々の身体は太古の寄生体ミトコンドリアにすべてを依存して生きているのです。

外呼吸・鼻と肺

呼気と吸気の規則的なリズム運動を肌で感ずるのが外鼻孔と鼻腔であり、内臓の肉体で感ずるのが胸郭です。鰓腸が心を表す腸です。それで、呼吸の腸が胸をはずませたり、胸がつぶれて心が痛んだりするのです。命を養う外呼吸は、哺乳動物では、鰓腸筋由来の横隔膜・舌・心臓の、鼻を通しての副交感神経による「生命の呼吸」、無意識の〝おのずから〟の感じと、錐体路系筋肉による胸郭運動の交感神経による「意志呼吸」の〝みずから〟の感じの両者が交代して体得されます（三木成夫）。

哺乳動物でも鼻の原形を全くとどめない形に進化した動物がいます。水に回帰した哺乳動物の一部の鯨類と象です。象も大昔、水棲だったことが象の胎児の形から明らかとなっています。

鯨の外鼻が原形から変容する理由は何でしょうか。先に述べた身体の動かし方です。通常、空気中で生きていれば、無意識呼吸でおのずから空気が鼻孔から入って来ますが、水中ではいちいち鼻孔を水から出さなければ空気が吸えないのです。アシカやオットセイのように泳いでいれば、鼻を水から頭ごと出すので、鼻孔の形も外鼻形もいくら長く生きていても変わりません。ところが鯨やイルカのようにドルフィン形に背腹に波うって泳ぐと、鼻孔呼吸とからだの動きがオットセイとは全く異なってきます。

足と骨盤の骨のほとんどは、からだのドルフィン運動の推進力で不用となり消失します。息を吸うときに、鼻の頭を水面に出し、そのままドルフィンで泳ぐと、鼻孔が慣性の法則で、やはり一日に〇・〇〇〇一ミクロンずつくらい、頭頂に向けて尾側に移動し、一千万年くらいすると、鼻の孔が頭頂部方向に三〇センチくらい動きます。マナティのように、ドルフィン型の動きがきわめてゆっくりしていると、鼻孔は移動しないで、縦長になるのもよく力学対応と一致しています。

重力進化学では、形や機能の変化した状態から、作用する期間と重力などの力学の強さ、物性や化学的特性の変化の程度がおのずと逆計算できるのです。

こうして泳ぐときのスタイルが、他の動物と異なる鯨類のヒレと鼻の形が他の哺乳動物と同じ遺伝形質のまま、時間とともに変容します。しかし頭の上の水面から出ている垂直部で鼻孔の位置は止まります。これ以上は吸うときに頭を後方に動かさないからです。

2　息からみる生命進化

内呼吸と外呼吸

息とはいぶきのことで呼吸すなわちエネルギー代謝のことです。

肺までの呼吸が外呼吸で、内呼吸とは細胞呼吸すなわち細胞小器官のミトコンドリアによる酸化的リン酸化TCAサイクルの回転です。細胞呼吸に直接影響するのが食事と睡眠です。食事は、このミトコンドリアに提供するエネルギー源の高分子物質で糖と脂質、アミノ酸の源となる栄養分の補給で腸から吸収されます。

睡眠は、実は眠ることではなくて立位、座位による骨の荷重を除く骨休め、つまり重力作用の位置のエネルギーの解除のことで、血圧を哺乳動物のスタンダードの九〇（ミリ水銀柱）に保つことです。これは、骨格物質のコラーゲンと軟骨・骨がミトコンドリアの代謝に必須の物質で出来ているとともに、その代謝産物だから、骨格に重力作用の偏りが大きいとエネルギー代謝を障害するのです。

呼吸と食事と骨休めは、つまり脊椎動物のエネルギー代謝に直接影響する生命の基本要素だったのです。つまり骨休め不足でも、細胞呼吸ミトコンドリアの機能が障害されるのです。

脊椎動物の定義を再びここに記します。「骨化の程度にかかわらず骨性の脊柱を持つ脊索動物で、腸管呼吸を行う動物」がこれです。

一般の動物は原則として皮膚呼吸を行います。脊椎動物も、しばしば皮膚呼吸や粘膜呼吸を行います。両生類は外鰓も皮膚で、胴体部の皮膚でも呼吸をしています。これは、皮膚の上皮と皮下間葉組織でいきなり赤血球造血が起こる現象ですから、明らかに酸素という物質の刺激による間葉細胞の遺伝子の発現によるものです。

スッポンは、冬の間水中で冬眠をしますが、口の中は舌粘膜が鰓状に化生した絨毛でいっぱいになります。冬眠する哺乳動物には褐色脂肪があります。脂肪の中にミトコンドリアがぎっしりつまっていて褐色になるのです。外呼吸によって肺や皮膚で酸素を血球がかかえ込むと、これを細胞にわたして内呼吸で酸素を消費するのがミトコンドリアです。

免疫の本質とエネルギー代謝

ここで再び生命の本質に還って「息」を考えながら「生命とは」「免疫とは」何かを進化を通して考察してみましょう。

エネルギー保存の法則からみると、生命は宇宙における完全開放系です。なぜかといえば、生命体に質量のないエネルギーがふりそそぐだけで、生命はそのエネルギー源と直接物質的につながっているのです。太陽系に存在するだけで太陽のエネルギーという質量のない物質が生命体を自由に出入りしているのです。質量保存の法則（一九世紀の宇宙の構成則）からみると半閉鎖系ですが、二〇世紀も今日も、生命個体が宇宙における閉鎖系の生き物だと誤解しているところに今の生命科学の誤りがあります。

地球には大略、三種類の生命が存在します。原核生物（プロカリオータ）、真核生物（ユーカリオータ）と多細胞動物です。

生命はエネルギーの渦を回すのに、生活媒体から高エネルギー物質（栄養）を体内に取り込み、それを分解して出る力を使います。生命の外から作用するエネルギーの影響を多細胞動物は強く受けます。これに対して原核・真核生物は重力エネルギーや温熱エネルギー（四℃～四〇℃の間）の影響をほとんど受けません。

一個の細胞内への栄養の取り込み法もこの三者で異なります。原核生物はメデューム（生活媒体）内の栄養を直接吸収して生命力の渦を回します。真核生物は、メデューム内の栄養を直接吸収する他、食胞として取り込んでから消化して使います。

直接吸収する物質は、細胞小器官のミトコンドリアが消費して呼吸の代謝を回転します。ミトコンドリアは真核生物に寄生した好気性の原核生物で、呼吸すなわち酸化的リン酸化を行い、ＴＣＡサイクルを回します。多細胞生命は、食べた物を腸で消化して、血液がこれらの栄養を各細胞に運び、各細胞が血液から直接使える栄養を吸収してミトコンドリアが使うほか、ピノサイトーシス（細胞の貪食作用）で吸収して細胞内で再消化して消費します。

多細胞動物において、血液が運んで来たものを細胞レベルで消化し、細胞呼吸によってエネルギーの渦をめぐらしながらリモデリングをする力が細胞の生命力であり、病気に克つ（疫を免れる）力、すなわち免疫力です。細胞呼吸のミトコンドリアの障害はただちにコラーゲンと軟骨と骨形成の障害につながるとともに、リモデリングの障害を発症します。これが免疫病です。ビタミンB_1の完全欠乏では、心臓のミトコンドリアの機能が停止して即死します。脚気心臓がこれです。

植物ではミトコンドリアの代わりにクロロプラストを持ち光合成を行っています。脊椎動物の源のホヤは動物と植物の分かれ道となる動植物生物です。ホヤは動物の特徴であるコラーゲン・軟骨の骨格と腸管呼吸の鰓と鰓心臓を持ち、さらに植物の特徴であるセルロースの根を持っています。このセルロースは、原始型のサメでは昆布状の卵に受けつがれています。

3　腸からみる生命進化（1）——鰓腸

腸管呼吸器とは

高等な多細胞生命体は腸の発生にはじまります。腸が無脊椎動物と脊椎動物を問わず、進化の出発点に発生します。多細胞動物は腸に外の物質を取り込み、これを消化し体内に吸収して細胞内で分解してエネルギーを取り出し、生命活動に供します。

エネルギーを物質から取り出す分解法をエネルギー代謝（入れ換わり）といい、酸素のない解糖と酸素による燃焼の呼吸という二種類の分解法があります。分解する物質は通常六炭糖です。繰り返しますが、生命体とは、糖を分解してエネルギーの渦をめぐらし、旧くなったからだのパーツや細胞を新しくするつくり替え（新陳代謝＝リモデリング）るシステムのことです。

個体丸ごとのつくり替えは、遺伝子が半分の生殖細胞の卵子と精子が合体する生殖によります。これらの細胞も腸管でできて、腸から排出されます。つまり腸が高等な多細胞動物にとって最も重要な器官なのです。最も原始的な脊椎動物の生きている化石と言われる円口類のヌタウナギ（メクラウナギ）は、腸の周りにいきなり一センチほどのカプセル状の卵が散在して卵巣の構造が見あたりません、まさに腸から吸収されて余った栄養の観があります。

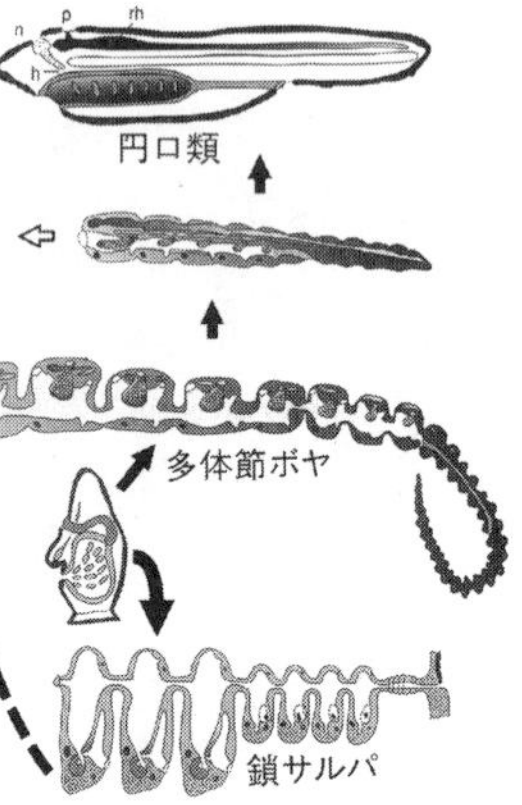

図Ⅲ—2　ホヤから原始魚類への進化（西原原図）

鰓器と骨格の関係

骨組織と細胞呼吸系との関係を究明するには、まず鰓器と骨格の関係を形態学的に研究すれば手がかりが得られます。

脊椎動物の源となる原索動物はホヤです。ホヤには軟骨は楯鱗《じゅんりん》（皮歯と鱗と獣毛の原器となる皮膚のウロコ）にしか存在しません。ホヤは鰓で腸管呼吸を行い、鰓腺由来の心臓も囲心腔もあり、高等な脊椎動物にそなわった器官のすべてをすでに細胞性に持っています。しかしホヤは単体節動物ですから、これから脊椎動物が生まれるには、遺伝子重複による多体節動物の発生がなければなりません。

ホヤは単体節動物で一つの鰓に一つの心臓がありますが、ホヤが珠子つなぎになった鎖サルパもそれぞれの体節に一つの鰓と心臓があります（図Ⅲ—2）。ナメクジウオはこの鎖サルパにそっくりの多体節で一個体となっているホヤと考えられます。ナメクジウオも一つの鰓に一つの心臓があります。このナメクジウオの一鰓一心臓は鰓腺（血球の発生器＝筆者の造語）がもともと動く造血器で心臓の源だったのです。このように心臓が鰓の造血器に由来しますので原始型のサメまでを鰓心臓と呼びならわしています。鰓は、水中の酸素と、肝臓から入ってくる腸から吸収された栄養による、間葉細胞の遺伝子発現の引き金が引かれて起こる赤血球造血を行う動く血管だったのが始まりです。

進化の次のステージの動物が円口類で、無顎類とも言われますが、軟骨の鰓弓由来の顎はちゃんとあります。ホヤの楯鱗を引き継いだ軟骨性の真歯もその顎に生えます。円口類の鰓腺は、心臓のごとくにすべてぐにゃぐにゃと動いており、赤血球と白血球を造る造血器で、これらがすべて軟骨性の薄い膜で覆われています。心臓もサメのステージまで鰓心臓と呼ばれるように左右が合体して一つになった鰓腺に由来しますから、当然軟骨の嚢の中に存在します。この心臓を取り囲む軟骨の嚢が囲心腔です。この軟骨は胸鰭に繋がっていますから、哺乳動物に至って上肢（腕）となる鰭は、実は鰓の取り込みのシステムなのです。下肢（腿）となる鰭は鰓の排出のシステムで泌尿・生殖物質（血液細胞の一種）と食物残渣の排出を補佐します。

進化の次のステージが顎口類の棘魚類でその後裔がサメ（軟骨魚類）です。囲心腔以外の鰓腺を覆う円口類の軟骨嚢は、サメでは鰓弓軟骨として受け継がれます。

耳小骨筋・舌筋・心筋が鰓腸筋に由来する

サメではクラドセラケの直系のラブカが太古のかたちをとどめており、鰓裂が六つ並んでいます。その他の鮫《サメ》はすべて第一鰓孔が眼の後方に小孔としてあり、空気孔と呼ばれています。これが耳になり、この鰓腺が内耳となるのです。このことはラブカ以外のすべての鮫が、デボン紀に汽水にとじ込められると潮の満ちているときは海水中で生活し、干潮になると有明海のムツゴロウのように空気呼吸を余儀なくされたということです。

このように原形からの逸脱の原因を、重力作用下での生活媒体の物質的（水・酸素・空気）変化と生体力学（エネルギー）の変化によるものと考えれば、形の変化から過去の生活史の変化を的確に推察できるのです。

ラブカ以外のサメでは一番目の鰓孔が耳孔になり、その鰓腺が内耳になり、鰓弓軟骨は、耳小骨軟骨になります。もともと第一鰓弓の古い顎骨に側線の集中システムがあり、音をここで聴いていたのです。第二から第六鰓腺までが、鰓心臓につながる静脈洞（心臓から出る大静脈）の造血器となります。第二から第六までの鰓弓軟骨は、下顎の内側に扇の骨のごとくに口の真中に集まって動かない舌を形づくります。

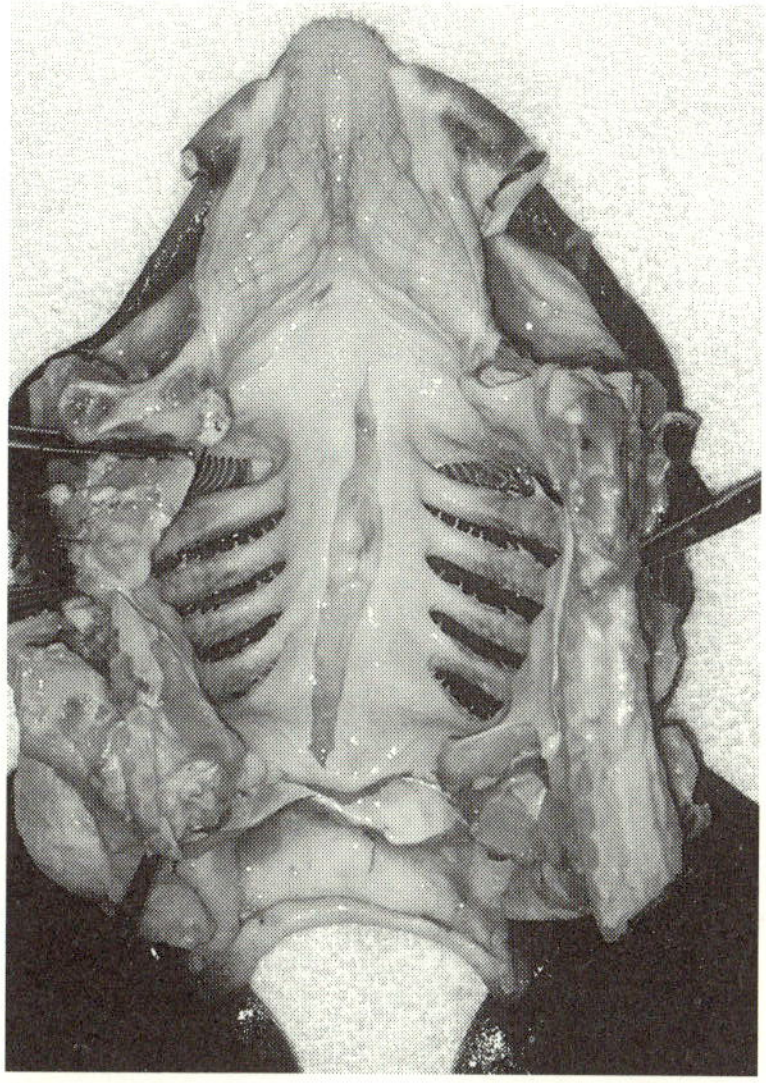

図Ⅲ―3　ネコザメの歯と動かない舌

この鰓弓に鰓弓筋が付いています。鰓弓軟骨のこの形は、水棲のメキシコサンショーウオ（アホロートル）のものと完全に一致します。

幼形成熟したアホロートルを陸上げすると、扇状に動く外鰓が縮んでなくなり、鰓孔も閉じてしまい、上皮が本当に融合してしまいます。扇状の鰓には四本の鰓弓軟骨があり、これが下顎に集まって動かない舌を形成するのは、サメと同じです。外鰓の消失とともに

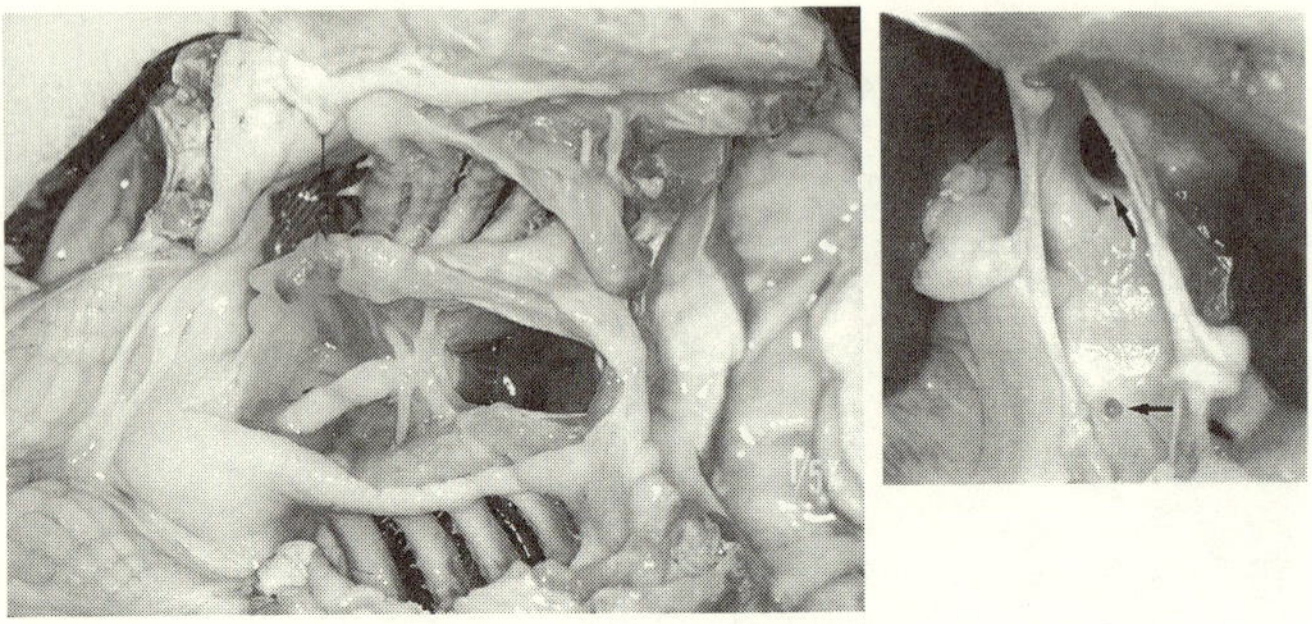

図Ⅲ―4　左：ネコザメの囲心腔（中に心臓が見える）　右：陸上げで囲心腔にできた含気孔（矢印）　写真の右が心臓、左が肝臓

鰓弓軟骨も縮み、ついに舌根部で横一列につながって一つの舌骨を形成します。動かない舌は鰓を動かす内臓筋肉で出来ていて、扇の骨の集まった鰓弓筋の根本の束が舌形をしています。舌が扇の要となって鰓の一つ一つをあおぐように動かすのです。動く外鰓が陸上げで退縮してなくなると、舌の形を成していた扇の骨も用不用の法則でほとんどなくなり、舌は鰓弓筋のみとなり、その根本で舌骨が舌筋を支えます。心臓も元来は鰓弓筋に由来しますから、サメの舌は心臓を囲む囲心腔の尾側底までを含みます。

哺乳動物になるネコザメ

サメは、太古のクラドセラケからドチザメ型とネコザメ型の二種類に分かれます。ネコザメだけが、他のサメと頭蓋・鰓器・骨格・皮歯のすべてにおいて異なります。

頭蓋の形と外鼻の形、顎と歯の形、鰓と心臓の形も鰓弓の形も違い、円口類に似ています。

ドチザメの心臓は小さく、囲心腔も円口類のごとくに完全に軟骨で覆われています。ネコザメの心臓は極端に大きく囲心腔の背腹の両側に軟骨があり、心臓から鰓に向かう血管の出入り口でこの軟骨が大きく開いています。この中に鰓嚢に由来する空気嚢が後進して入り込むとこの部が縦隔（哺乳動物の胸部のみに存在する両肺を中隔する隔壁で心臓・気管・食道・大動脈・胸腺・リンパ節等を含む）になります。

これに対してドチザメの鰓の空気嚢（肺）は、軟骨に囲まれている心臓の囲心腔と接して食道と並行して腹腔の骨盤まで後進します。両生類・爬虫類・鳥類の肺は、腸にまで達し、腹部で肺と他の内臓がごちゃまぜになっているのはこのためです。

哺乳動物の胸部は縦隔を中心に胸腺と肺と心臓と食道しかないのは、ネコザメの食道と心臓から鰓に出る血管の間に鰓空気嚢の肺が後進して入り込むためです。背腹側にある二つの囲心腔由来の軟骨は、胸骨と気管軟骨になります。

囲心腔に接する胸鰭の軟骨は、アホロートルでは心臓の腹側（地面側）に鐙状に薄い左右二枚の板状を呈しますが、哺乳類では囲心腔に肺が入るため、頭側におし上げられて鎖骨となります。それで囲心腔の尾側底の横隔膜神経が鎖骨上神経から枝分かれするのです。脊椎

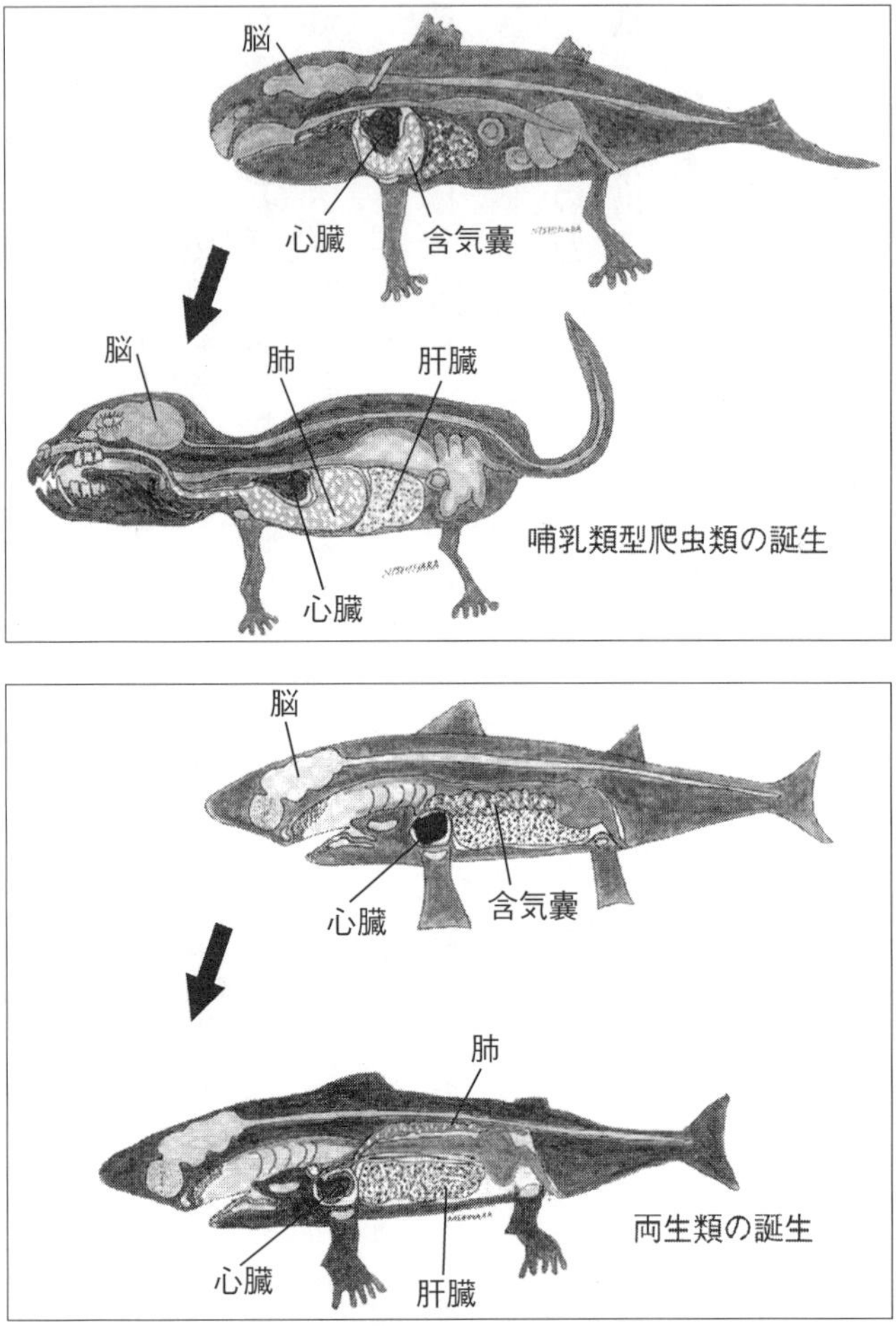

図Ⅲ—5　ネコザメから哺乳類型へ（上図）
ドチザメから両生類へ（下図）（西原原図）

動物の上陸劇で鰓器の鰓腺と鰓弓軟骨つまり鰓呼吸システムが根本的に変化します。鰓と骨はともに脊椎動物の特徴器官ですから、これらの変容の法則性を究明すれば進化の原因子が明らかとなります。そのための実験を二通り簡単に組むことが出来ます。

まず、アホロートルを陸上げし、次いでネコザメとドチザメを陸上げして体の構造的変化を観察します。この二つの実験で肺の発生が哺乳類型とその他の二系統に分かれることと、肺の発生も鰓器の変容も化生であることが検証されました。

アホロートルの皮膚は、人為的陸上げ実験後に皮膚呼吸を始めます。皮膚呼吸とは何かを知るには、組織標本を観察すればよいのです。陸上げしたものの皮膚を観察すると、いきなり皮下組織で赤血球造血が発生しています。そしてこれは、質量のある物質である酸素による未分化間葉細胞の遺伝子発現によって起こる化生現象です。このとき水中ではペラペラで大型の心臓は、三分の一ほどの大きさに縮小し、心臓を養う血管と神経が発生してきます。この心臓の変容は、重力刺激の増大による血圧の上昇にともなう流動電位の上昇による心臓と脈管を作る細胞の遺伝子発現によるものです。これが質量のないエネルギーで起こる化生です。

鰓器の化生による変容

ネコザメの陸上げでは、第二から第五鰓腺までが閉鎖し、六番だけが開いています。第二鰓腺がM細胞を持つワルダイエル扁桃リンパ輪、つまり白血球造血器となり、第三番と第四番が胸腺となり、第五が鰓後体となります。第六が酸素による化生で肺となります。

この鰓腺の変容もいわゆる物質（物とエネルギー）が引き金を引く化生によるものです。鰓弓軟骨の縮小・融合と骨化は、水中から陸棲にともなう重力作用の増強（六倍）による流動電位の上昇で起こる未分化間葉細胞の造血巣とともに発生する造骨細胞の分化誘導現象でやはり化生によるものです。

このとき酸素が二〇～三〇倍に増えると、細胞呼吸が活発化します。細胞呼吸を担う器官はミトコンドリアです。ミトコンドリアは植物のクロロプラストと同様に原核生物（プロカリオータ）ですから、独自の遺伝子・蛋白質合成系、DNA・RNAポリメラーゼ等を一そろい持っています。そして糖を分解してTCAサイクルを廻し、高エネルギー物質のピロリン酸エステルのATP（エネルギー伝達の媒介をする高エネルギー物質）を産生します。これが酸化的リン酸化で、ミトコンドリアでカルシウムとリン酸を濃縮してヒドロキシアパタイトを排出します。軟骨と骨はチオールエステルとATPを産生する解糖と呼吸の材料を供給するとともに、これらのエネルギーの代謝・回転によって生ずる産物でもあるのです。

かくして、エネルギー代謝を担う器官の鰓が原初の円口類の出発点から軟骨で覆われ、この軟骨が次のステージで鰓弓となり、鰓の扇運動の扇骨として外呼吸の酸素取り込みに機能します。

進化の第二革命の上陸劇では、細胞呼吸が飛躍してミトコンドリアの機能が活発化すると、これらの鰓弓軟骨が硬骨化します。動物は活発に動くことを特徴としますが、その駆動システムを支える骨格がエネルギー代謝を支える材料で出来ているとともに、骨髄造血すなわち細胞呼吸を担う血液細胞のジェネレーター（造る装置＝造血器）だったのです。

脊椎動物を決める物質が骨で、特徴器官が腸管呼吸の鰓であると先に述べました。これら二つの本質的器官がミトコンドリアを介して完璧につながりました。これにより二十一世紀の生命科学の謎が解けたのです。

4　腸からみる生命進化（2）——腹の腸と鯡腸

生命の源「腸」

高等生命体の源の器官が腸です。腸管の総体に心が宿り、財・名・色・食・睡の欲の源が存在します。

腸を大別すると三つに分かれます。呼吸を行う腸が鰓腸で、のど元をすぎると真暗闇の腸がはじまります。これが腹の腸（腹腸）で、腹の腸が七重八重にくねって、再び出口の泌尿・生殖・肛門の腸となります。これを筆者は鰓腸に対して鯡腸と呼びます。排出の腸のことです。

鰓腸の筋肉の動きのリズム運動に哀れみと愛おしむ心と感情が宿ります。真暗闇の腸の平滑筋のリズム運動に自我という生存欲の心がとぐろをまいてうごめいているのです。腹の腸は空になるとうずいてきますが、鯡腸は貯まってくるとうずいてきます。鯡腸の心は通常、劣情と呼ばれ、文明社会ではたてまえとしてさげすまれています。

口から肛門までの腸管の総体が持つ本性が財・名・色・食・睡の欲ですが、鰓腸・腹腸・

鯡腸とそれぞれの腸が表明する欲求は微妙に異なります。

心の腸「鰓腸」

哺乳動物では鰓腸に由来する器官が感情と精神を表します。胸が高なる、うきうきする、胸をはずませる、胸踊らせる――と、肺と心臓の高鳴りで心の浮き立つ様を表します。陰の表現では、胸騒ぎ、胸かきむしる、胸が張り裂ける、胸苦しい、息苦しい、息がつまる、胸がつぶれる、胸が痛む、心が痛む、心痛――として肺と心臓で心のあえぐ悲しみの様を顔の筋肉と眼と鼻と声帯から涙と洟《はな》、声によって表現します。これらはすべて鰓腸由来の筋肉とその附属の器官です。

心とは、五欲に発する感情で、うれしい・悲しい・怒り等、内臓から発する情動のことで、胸と腹にこの心が宿ります。

鰓腸は、頭部にあり、頭進してめぐり会う出来事にいろいろと反応して交感神経の血管運動反射によって心臓や鰓（肺）が高鳴ったりしおれたりして心を表します。哺乳動物では、舌の根本にある心臓を取りまく囲心腔に第六鰓腺が慣性の法則と空気圧によって後進して入り込むため、心肺と舌が一つのまとまった鰓器となっています。

病理解剖では、舌と縦隔と心肺を一つのブロックとして扱います。先に述べたように心肺同時移植を行うと、心がドナーのものに替わります。本書の主題の心のありかが、ここにあるのですから当然だといえます。心臓は鰓腸の筋肉で肺が腸由来の肝臓よりも大きな臓器ですから、心の腸を移植すればこうなるのも当然のことです。ル・ドワランの考えた自己・非自己のアイデンティティーが主要組織適合抗原にあったのではなくて、アイデンティティーは腸管そのものに存在していたのです。ドナーが色情狂の心肺を移植すると、レシピエントに本当にのりうつるのですから恐ろしいことです。早くこのような馬鹿げた移植医術など止めなければいけません。

自我が存在する「腹の腸」

食道をすぎると真暗闇の腹の腸が始まります。腹に自我が本当に存在するから昔の武将は自己実現に失敗したときに腹を切ったのです。腹を切らないと怒りがおさまらないのです。自我とは五欲の本能に根ざした、生命個体に備わった生存欲、そして本性で、腸にあるふてぶてしい内臓感覚のことです。

腹ということばは、腹が立つ、腹黒い、腹を割って話す、腹をさぐる、腹がすわる、腹の虫がおさまらない、立腹する、腹にすえかねる、はらわたがにえくり返る、断腸の思い、腹が太い、腹蔵なく等、どれも自我に直結したむき出しの本性を表す言葉として「腹」が使われています。本当の怒りは腹（腸）の底からわき上がって来ます。

排出を欲求する「鯡腸」と細胞のリモデリング

鯡腸は、総体としての腸の持つ五欲のうち排出の欲求を表明する腸です。排出するものは、代謝産物と食物の残滓と余った栄養、すなわち個体丸ごとのリモデリングのシステムの生殖細胞等です。

腸から吸収された栄養は、すべて血液とその細胞に取り込まれ、もう一度細胞レベルで消化・吸収され、代謝して身体の細胞やそのパーツをリモデリングし、新しい素材と旧いものをおきかえ（リモデリング）て代謝産物を血液が腎に運び尿として排出します。このリモデリングをせっせと行うのが白血球の本当の仕事なのです。ヒトでは一晩の睡眠中に六〇兆個の細胞のうち一兆個がつくり替わります。これを従来、新陳代謝と呼んでいましたが、その実態が不明だったのです。

代謝して余った栄養はどうなるのでしょうか？

余った栄養は脂肪に換えられて貯蔵されますが、一部は血液細胞の一種である卵子と精子になります。両生類では脂肪の塊の先端に卵巣と精巣があり、その先に腎臓があります。腎臓は、元来前腎として中胚葉系の鰓システムの造血巣で、それが後進して中腎・後腎となるとエリスロポエチン（血液細胞を分化・誘導する蛋白質、サイトカイン）が精子と卵子を余った栄養の脂肪細胞から遺伝子発現により分化誘導します。腎臓が鰓の一部であったことが、何でわかるかというと、鰓脳と呼ばれる延髄から出ている迷走神経に支配されている器官は、すべて太古の時代には鰓器だったからです。

ただし泌尿生殖器でも腎以外の膀胱、睾丸や子宮、卵巣、直腸、肛門（原始型の生殖器）等は、鯡脳に支配されています。そして副腎皮質だけが腹脳の脊髄の副交感神経（旧来の解剖学では交感神経とされていた）に支配されています。

身体のあらゆる細胞は、血液を介してリモデリングします。代謝産物は血液で運ばれ、造血器の特殊化した腎臓で尿に換えられます。一方、余った栄養も腎の関連器官で減数分裂して血液の特殊化した卵子と精子となり、これも尿と同じ管で排出されます。

尿と生殖物質は生命体にとって完璧に等価なのです。つまり精子や卵子の形成と尿の生成は、心臓のときめきや肺のいぶきと密接に関係していたのです。そしてこの精子と卵子と尿が鰓腸から排出されるのです。これらが貯まってくると鰓脳がうずきます。そうすると鰓脳の機能である精神活動や心の働きが止まり、思考力がたいてい麻痺してしまいます。鰓脳は仙髄にあり、直腸と膀胱と精巣、卵巣、子宮、膣、陰茎、睾丸を支配します。鰓腸のうずきは、尿意、便意、月経、排卵、射精、交接、受精、出産を問わず、すべて個体丸ごとのリモデリングと直接間接につながる欲求ですから、五欲の中でも最も強烈で無上の悦びをともなうものです。生の目的に近い心なのです。

「腸脳」と神経

真暗闇の腸を支配する脳が腸脳です。脳というのは鰓脳（口脳）と鰓脳（肛脳）でわかるように、腸の出口と入り口の皮膚（外胚葉）の神経と腸粘膜（内胚葉）の神経の合体した神経の束から出来ています。神経とは、元来が筋肉のシステムです。

神経は上皮の膜の繋がりの膜電位の伝達にはじまり、その機能は中胚葉の筋肉を動かすことです。従って皮膚（外胚葉）の神経と腸粘膜（内胚葉）の神経の二重支配が脊椎動物の腹の腸にあります。出口と入り口の口と肛部には、外・内両胚葉の合体したパラニューロンがあり、生命活動に最も本質的な生きるシステムと生殖のシステムをつかさどる脳があります。

腸脳だけは、皮膚に腸の中の状態を示すパラニューロンを持っていないので腸脳の存在が明らかではなかったのです。この三つの脳は、すでにホヤの時代からあるものです。原索類のホヤが脊椎動物の原形を示しますが、この宗族の源の段階では内臓を支配する自律神経が脳を形成します。サメの段階までは内臓系の副交感神経と体壁系の錐体外路系だけで脳が出来ています。したがって、太古の動物から存在する三つの脳は体壁系以外の神経系は、すべて副交感神経系だけで出来ています。

『腸は考える』という本がありますが、本来的に考えるのは皮膚・体壁系です。皮膚の特殊化したものが、脳脊髄神経系ですから、「腸も考える」が正しいのです。従来、腸脳領域の自律神経系は、節前線維がコリン作動性（アセチルコリンで作動する神経が副交感神経でアドレナリン、ノルアドレナリンで作動するのが交感神経として分類される）であるにもかかわらず交感神経とされていましたが、サメに交感神経がないことから、これは副交感神経と見なければなりません（図Ⅲ—8参照）。サメには錐体路系がなくて交感神経がありません。そして動きはすべて錐体外路系による反射運動です。

感じて動くのはエサと生殖のときだけであとは休んでいます。感じて筋肉を動かすことが、実は考える始まりですから、サメも食べることと生殖のことだけは考えているということになります。この二つの行動を呼びおこすのが実は、腸管の蠕動運動なのです。空になるとうずいて食べることを考え、貯まるとうずいて生殖を考える始まりとなるのです。真暗闇の腸が、ふてぶてしい自我の存在欲しか示さないのは、体壁系に一切のパラニューロンを持たないためなのです。感情や心が顔に表れたり、色情をもよおすと眼色やしぐさでそれを表わすのは、鰓腸も鰓腸もそれぞれ、体壁系と腸の心を外界に示す脳と感覚器官をとり持つパラニューロンの眼や触覚や性器を持っているからです。腹の腸にはそれらがないから、それで腹のうちがわからないのです。身の潔癖を示すために腹を切るのも腹のうちを示すパラニューロンがないからやむなく生命と引きかえに腹のうちを切って明かすのです。

このように腸を三区画で見ると、心と精神・思考を担当するのが鰓腸で、全腸管の九割方を支配します。生殖細胞を生成する腎臓系も鰓腸の神経の支配によります。鰓腸は出来た卵子や精子によって生ずるうずきの心をからだであらわします。精神活動、特に文化活動は、自己実現であり精神的な自己の拡大再生産です。したがって生命の拡大再生産の生殖に極めて近いものです。名誉欲が性欲に近似しているのです。腹の腸の欲は財・食・睡で生存の欲です。鰓腸がいわゆる性欲で最も制御しにくいといわれています。

鰓腸とその附属器官の眼・鼻・聴器平衡器は、哺乳動物では顔・頸・胸部・横隔膜・腎臓・生殖系内臓までの複雑なシステムに変容します。肝・脾・膵臓と胃腸の大部分は腹腸ですが、実はこれはもともと鰓腸の消化器部分に由来します。これらの臓器のすべての原器となる細胞は、ホヤの前の時代のフサコケムシにも、さらに前の時代のヒドラにも腔腸に細胞として散在しています。

これらの種々の細胞が集合して器官をつくるのですが、上皮系では膜電位のイオンチャンネルにより、間葉系では流動電位による制御なのです。腹の腸が副交感神経の迷走神経と脊髄神経の二重支配を受けるのは、単体節のホヤの時代に出来た鰓腸のシステムが、体節化した後の頭進により機能退縮するためです。頭進で鰓器が頭側に集まり、鰓神経の支配する胃・腸が肛側に後進し、体節毎の腸が連続すると、これがラセン腸となります。この段階で上陸して頭進のスピードが上がると、内臓も脳も交感神経支配を受けるようになるのです。ラセン腸の一こまも、鰓が連続するのと同じ理由で繋がるのです。鰓は口から入る流水に酸素が存在する間はホヤの鰓だけが残り、消化管が用不用の法則で退縮します。酸素がなくなると、今度はホヤの食物の消化の腸が機能し鰓が消失してなくなり、こうしてラセン腸が連続します。

この腸が迷走と脊髄の副交感神経の二重支配を受けて、真暗闇の腹腸となります。渦をなすラセン腸の平滑筋のリズム運動に財・名・色・食・睡の入り混ざった自我そのものの情念がとぐろをまいて塊となって存在します。

この一部が鰓腸からなる顔と頸と胸で機能し、別の一部が鰓腸の排出欲として劣情の機能をいとなみます。精神性とこの劣情が互いに相容れないために、しばしば有能な人が鰓脳と鰓脳の葛藤から破綻して自死します。しかしこの鰓脳が健全でなくてうまく機能しないと子孫が残りません。

このラセン腸に脊髄の副交感神経（従来は交感とされていた節前線維でアセチルコリン作動性）が関与するのは栄養毛細血管の発生によります。したがって頭進で口肛の二極化が進んだ後、つまり円口類の後の顎口類（軟骨魚類のサメ）が成立した後にこの体制が完成します。

サメの腹腸の副交感神経の二重支配の成立は、急激に身体の躍動が起こり、急激な頭進のスピードと頭進を続けた時間が長かった（約一億年）ために胃腸が肛側に後進し、その内臓に脊髄から副交感神経をともなった血管が伸びたことを物語っています。これが重力進化学です。身体の構造と重力作用の慣性の法則と頭進のスピードと時間で形が変わりますから、逆計算で形から時間や作用エネルギーや作用物質（酸素、水、空気等）がわかります。ラセン腸は我々哺乳動物の腸のモコモコした膨れと狭窄部になります。

5　神経と筋肉からみる生命進化（1）――背筋と錐体路系

体壁筋肉系にある思考と精神の源

「背に腹は変えられない」ということばがあります。背筋のリズム運動が精神思考を発生し、腸管の蠕動のリズム運動が心を発生します。精神・思考と心の源となる腸のリズム運動から生まれる財・名・色・食・睡の欲（本能）は相容れないことが多いのです。

「背に腹は変えられない」の背は体壁筋肉系のことで、腹は腸管内臓系のことです。背と腹を結びつけるのが口という意志の力で動かすことのできる骨格を持った内臓筋に由来する腸管の入り口と、骨格のない出口の肛門の二つです。

哺乳動物の背筋は原始型のサメの背筋とは全く異なります。原始脊椎動物の軟骨魚類サメの筋肉には錐体路系がなくて、自律神経系も副交感神経のみで交感神経系がありません。第二革命の上陸を機に、重力作用が六倍になり生活媒体が水から水の一〇〇〇分の一の重量の空気に変わり、酸素の含量が〇・七％から二一％に変わると、これらに対応して生きていく

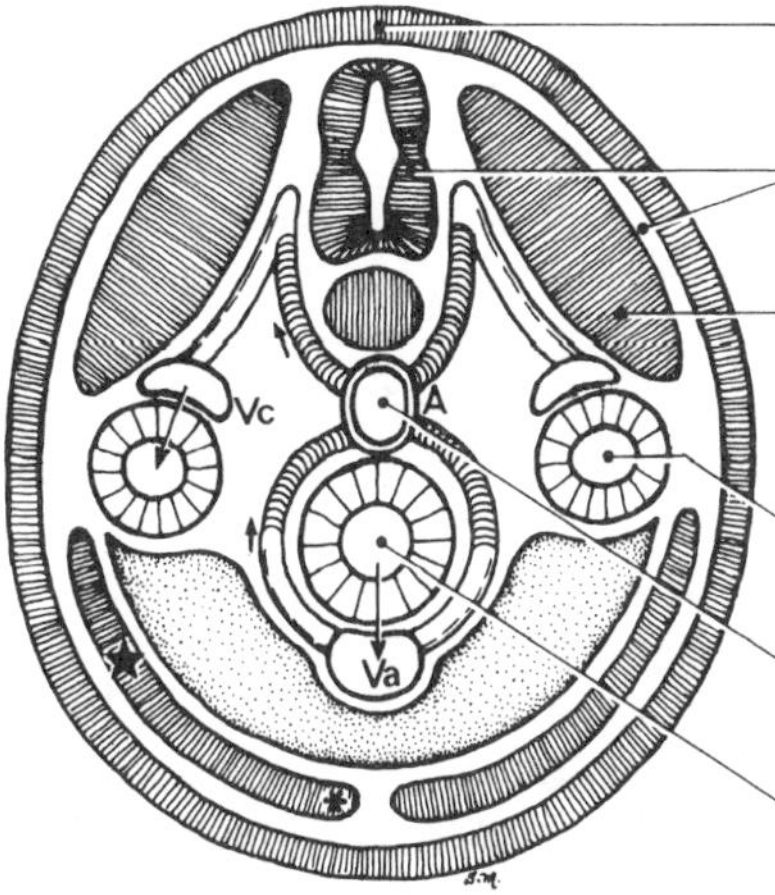

図Ⅲ―6　脊椎動物の体壁系と内臓系（三木成夫原図、『内臓のはたらきと子どものこころ』築地書館より）

だけで、必然的に体内のあらゆる組織と器官の細胞呼吸が活性化し、血管の誘導が起こるのです。

筋肉というのは神経の機能器官です。知覚される（体壁系）されない（内臓系）にかかわらず求心性神経が中枢に情報を伝えると、これに基づいて中枢神経核に電位が発生し遠心性（運動）神経系に情報を発し筋肉を動かします。

副交感神経の口肛の二極化が完成してから、上陸で体壁筋肉運動系が飛躍的に発達すると交感神経が発生し、錐体路系の脳運動神経が発生すると、呼吸と解糖系のエネルギー代謝も飛躍し、熱の発生が急増してここに冷血動物の温血化がはじまります。

同時に徐々に意志の力で舌や手（ヒレ）や足（ヒレ）を動かすことができるようになります。

原始脊椎動物のサメは棘魚類の末裔ですが、上陸の前には舌は鰓の鰓弓とその筋肉の集まったもので、すでに舌の形をしており、わずかに動きます。ドチザメでもネコザメでも矢状断（縦切り）で観察すると、わずかに動く舌を構成するリズムのある鰓弓筋の列の最後端に、囲心腔に囲まれた心臓があります。

思考と精神の源は、意外なことに背筋で代表される体壁筋肉系の錐体路系に存在していたのです。もとより、錐体外路系の健全な存在が精神神経活動には必須です。健全な精神は健康な身体に宿るというのはこのことで、精神と思考の源は体壁筋肉系にあり、この筋肉と共役関係にあるのが体壁脳すなわち大脳新皮質です。頭脳労働をすると背筋がこちこちになるのはこのためです。頭脳労働にも、呼吸と同調した筋肉のリズム運動を導入する必要があります。これには大脳辺縁系の古皮質や小脳の体壁系の錐体外路系の健康なうらうちを必須とするのです。

顎口腔と交感神経・錐体路系の発生の関係には、咀嚼の成立が必須の事象です。ネコザメが汽水域にとじ込められ、上陸して苦しまぎれにのたうち回ると、三〇倍になった空気中の酸素が体内に大量に入って来ます。あばれると筋肉が動いてミトコンドリアの細胞呼吸が活性化し、糖の消費が急に増えます。ネコザメはもともとエビや貝をよく咀嚼して食べていましたから、海藻や小魚や貝をよく咀嚼して栄養をおぎなったのでしょう。糖が補給されなければいくら酸素が増えても血管の新生はないからです。こうして細胞呼吸すなわちエネルギー源の食物の咀嚼と空気呼吸システムの肺の発生が連動して起こるのです。

思考と精神活動はリズム運動から始まる

舌はヒトでは心の表明と精神を語る重要な器官であるので、発生を系統的に観察する必要があります。

従来、舌下神経はサメになくて哺乳類にあり、脊髄が脳に取り込まれたために一二番目の脳神経となったとされていましたが、延髄における舌下神経核が迷走神経核と同レベルに存在することと、動きの少ないサメの舌筋がすべて鰓弓筋でできていること、舌筋を支配する知覚神経がすべて鰓弓神経であることを考えると、体壁系の骨格筋であるとする考えは明らかに誤りです。舌がよく動くようになるのは上陸による鰓腸の退縮にともなう鰓弓軟骨の退縮によります。

肺呼吸の習熟にともなう鰓の律動運動の消退で、鰓腸筋と鰓弓の集合体の舌から鰓弓軟骨が退縮して一つの舌骨となると、骨格から開放された鰓腸筋からなる舌が動きだします。これは交感神経と錐体路系の発生と機を一にしていますから、舌は体壁横紋筋の特性である意志によってつくられるリズム運動にともなって発達する大脳皮質運動野の神経細胞の飛躍的増加をもたらします。これも用不用の法則の用によります。この時点で、錐体外路系の脳神経で支配されていた鰓弓筋由来の咀嚼筋・表情筋・嚥下筋・発声筋はすべて体壁系の意志で動く筋肉に変容します。

精神と思考のはじまりは、腸管を自在に運ぶ担体（vehicle）の体壁系に大脳の錐体路系と交感神経系が発生し、すべての内臓と器官（心臓・腸管内臓器官から脳）に栄養血管系が入り込んだ段階からです。それまではサメの心臓にも水棲のアホロートルにも冠動脈がなく、腸にもこれを養う栄養動脈がないのです。交感神経は、この栄養血管とともに内臓から脳へも侵入して体壁の状態を内臓や脳に知らせます。

精神は、外界の出来事を脳の飛び出した出先器官の眼・鼻・耳・触覚・味覚で感知すると、これをまず体壁の骨格系運動器官に知らせて恐怖から逃げたり、異性にすいよせられたりします。また食物に向かって移動しながら、同時に心臓や腸管内臓系や脳に血管性にこれを知らせて、からだが遭遇した状況に対して心がウキウキしたり恐怖におののいたり、ワクワクしたりしながら、手足の幅で逃げ道や安全な場を目測します。ここに考えが始まり、思考と精神が始まります。精神は、鰓脳の効果を表す器官の代表であり横紋筋の錐体路系と内臓筋の複合でできている顔の筋肉と背中や手足の体壁系筋肉に宿ります。

精神・思考活動は、副交感神経・錐体外路系のみで生きていた原始型時代の鰓腸の摂食・呼吸と消化・生殖の基本体制を支える鰓腸・排出系の筋肉に体壁運動系・錐体路系の機能が重層することにより、これらの筋群のリズム運動によって発生します。

鰓腸部分では、顔面表情筋・舌筋・頸筋群の協同作用で習得される「ことば」という呼吸と同調したリズム運動によって、精神・思考活動が飛躍的に発達して人類が誕生しました。ことばは摂食・咀嚼という内臓頭蓋の蠕動運動で機能する筋群のリズム運動を交感神経系・錐体路系の思考レベルのリズムに流用したものです。

6　神経と筋肉からみる生命進化（2）――錐体路系

神経システムの発生

多細胞系の脊椎動物のはじまりは、皮膚で呼吸する腔腸動物のヒドラです。これが苔虫類のように、翼手で呼吸するといった呼吸細胞の極在が生じ、さらに呼吸細胞が腸管内に取り込まれると、原索類のホヤが誕生します。呼吸細胞への分化は水中の酸素濃度が引き金となる化生によります。

ヒドラもホヤも、腸の筋肉でできた袋と管です。神経は筋肉のシステムで、腸管の欲求に従ってからだを移動したり、食べたものを蠕動運動で消化するシステムです。脊椎動物の基本型は、袋にはじまり、袋の一端が破れたチューブで、外胚葉・内胚葉上皮と中胚葉の三層からなります。

神経の基本は上皮細胞の連繋による電位の伝達で、膜電位によります。原始脊椎動物では、腸管内臓上皮の神経系と、外胚葉系の皮膚細胞の連繋による体壁系の神経があります。前者が腸の蠕動運動の平滑筋の神経系で、副交感神経系の内臓脳を形成します。後者が体壁系の脳神経で、原始型では錐体外路系のみでできています。錐体外路系は、左の大脳神経は左のからだの筋肉を支配します。

動物はからだを動かすことを特徴としています。しかしただむやみに動くのではなくて、欲求に従って動きます。感じて動くのが感動のはじまりで、心のはじまりです。何が何を感ずるかといえば、腸管が食物と生殖の場を求めてからだを移動させるのです。したがって神

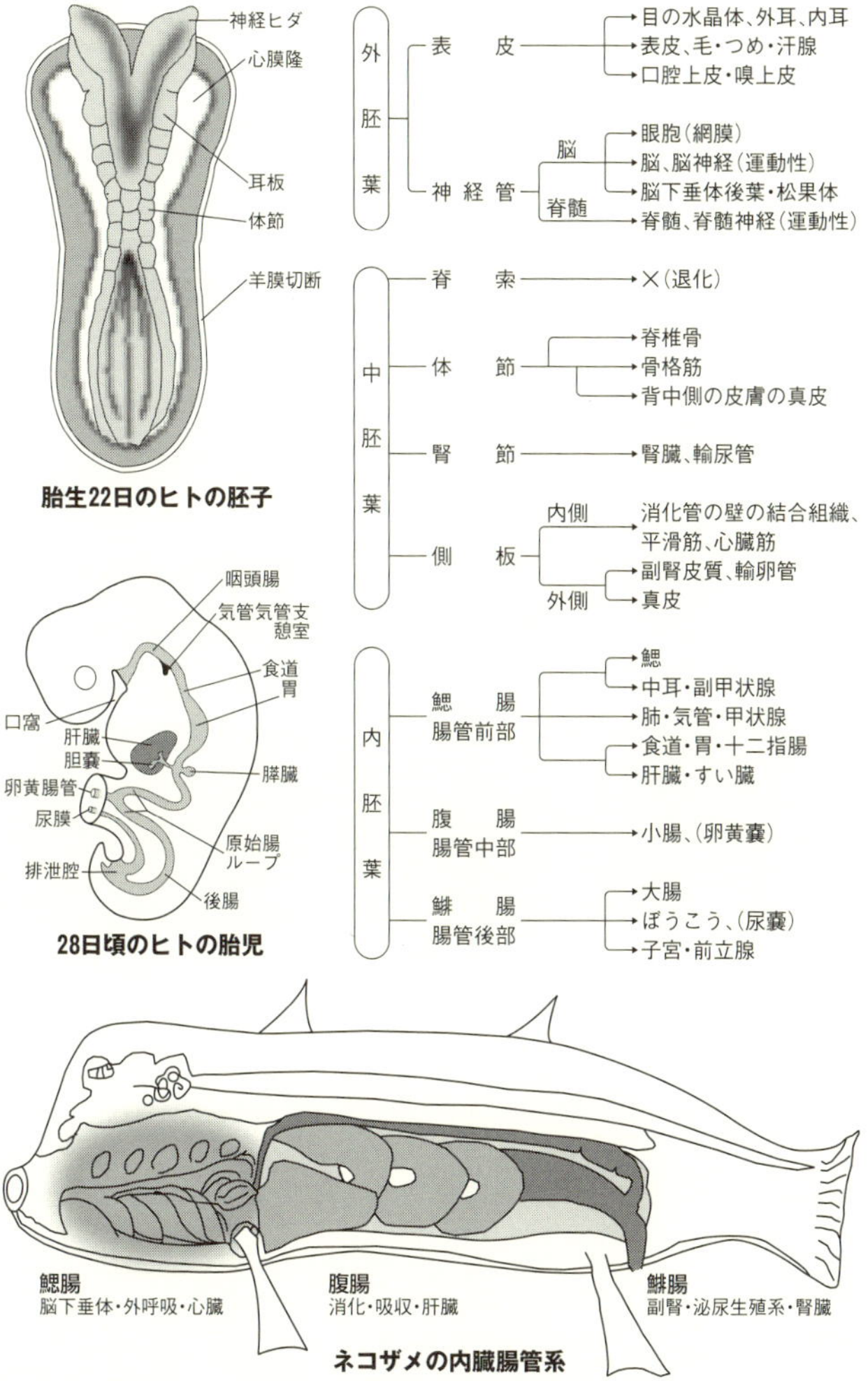
神経ヒダ
心膜隆
耳板
体節
羊膜切断
胎生22日のヒトの胚子
咽頭腸
気管気管支憩室
食道
胃
口窩
肝臓
胆嚢
膵臓
卵黄腸管
尿膜
原始腸ループ
排泄腔
後腸
28日頃のヒトの胎児
外胚葉
表皮
目の水晶体、外耳、内耳
表皮、毛・つめ・汗腺
口腔上皮・嗅上皮
神経管
脳
眼胞（網膜）
脳、脳神経（運動性）
脳下垂体後葉・松果体
脊髄
脊髄、脊髄神経（運動性）
中胚葉
脊索
×（退化）
体節
脊椎骨
骨格筋
背中側の皮膚の真皮
腎節
腎臓、輸尿管
側板
内側
消化管の壁の結合組織、平滑筋、心臓筋
外側
副腎皮質、輸卵管
真皮
内胚葉
鰓腸
腸管前部
鰓
中耳・副甲状腺
肺・気管・甲状腺
食道・胃・十二指腸
肝臓・すい臓
腹腸
腸管中部
小腸、（卵黄嚢）
鯡腸
腸管後部
大腸
ぼうこう、（尿嚢）
子宮・前立腺
鰓腸
脳下垂体・外呼吸・心臓
腹腸
消化・吸収・肝臓
鯡腸
副腎・泌尿生殖系・腎臓
ネコザメの内臓腸管系

図Ⅲ—7　外胚葉・中胚葉・内胚葉の分化（個体発生の初期）と鰓腸・腹腸・鯡腸

経には、感ずる求心性（脳に向かう）の感覚神経と、遠心性（脳から出る）の運動神経の二種類があります。

神経細胞には、ニューロンとパラニューロンがあります。ともにシナプスで小胞による膜電位により情報（信号）を伝えるシステムです。大まかにいえば、ニューロンは情報を神経細胞と筋肉細胞に伝達し、パラニューロンは、細胞自体が効果器として粘液等を分泌します。

多細胞生命体のはじまりのヒドラは腸の袋からなり、腸の動きのはじまりは、海中の波の動きです。同じ遺伝子を持つ細胞群が集まって内胚葉・中胚葉・外胚葉の三層を形成します。ホヤの段階では中胚葉由来の筋肉は、平滑筋と横紋筋の中間型で、我々の心臓筋肉のごとくです。神経系は原則として外胚葉と内胚葉の上皮のつながり、つまり細胞膜の膜電位の働きによって成り立っています。中胚葉の骨格系は体液の流れで生ずる流動電位によって細胞の遺伝子の引き金が引かれて、コラーゲンや軟骨や骨や血液細胞の分化と誘導がコントロールされています。

交感神経と錐体路系神経

脊椎動物の進化の過程で、最も顕著に変化する筋肉系の器官が舌です。神経で最もめざま

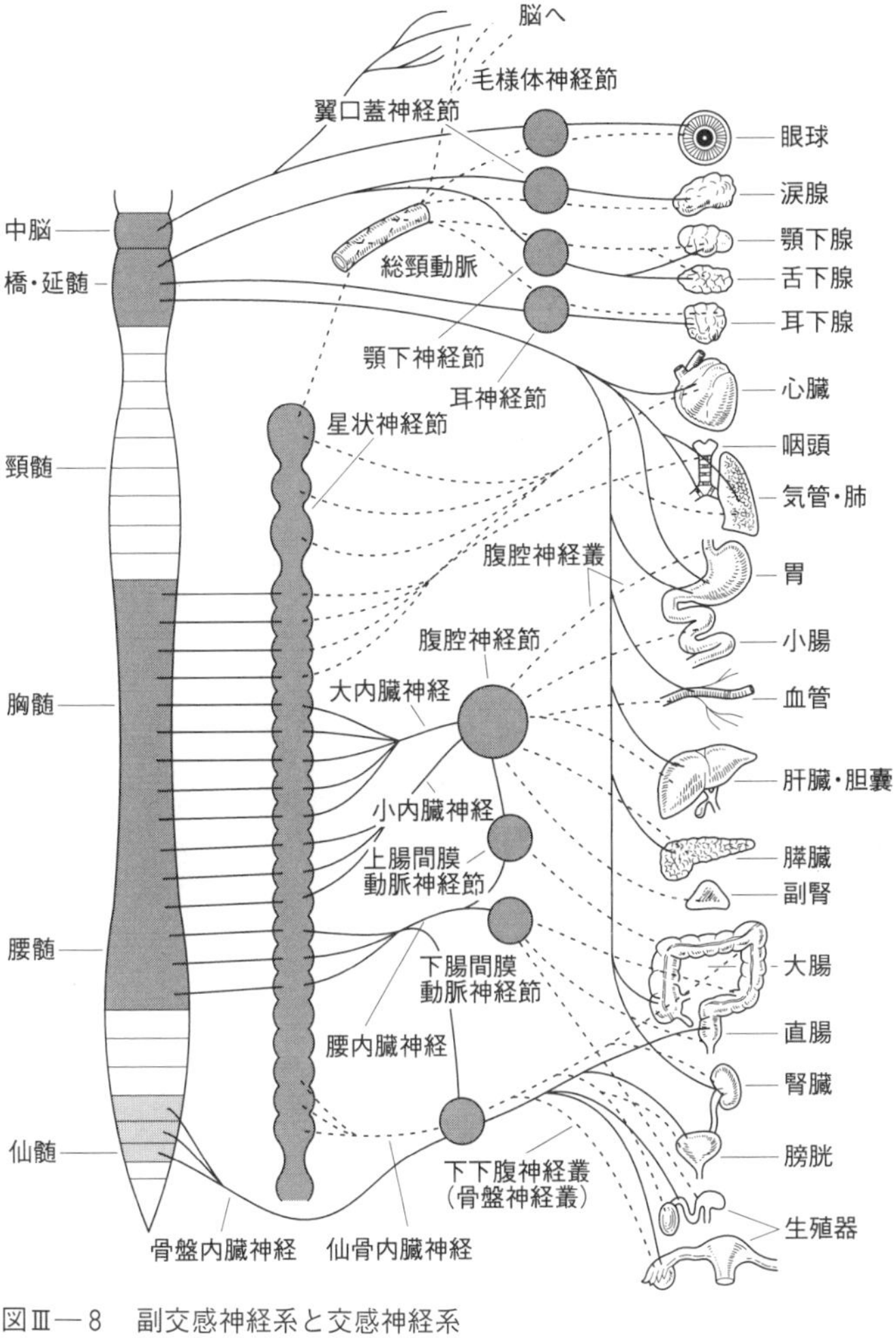

図Ⅲ―8　副交感神経系と交感神経系

実線は副交感神経系、破線は交感神経系を表す。一つの臓器は両方の神経系の支配を受ける。腎臓は口脳(鰓脳)と肛脳(鯡脳)からの影響を受ける唯一の臓器であることがわかる。従来交感神経の節前線維とされていたものは副交感神経と見なければならない(西原原図)

しい形で発生するのが交感神経系と大脳の錐体路系神経です。

錐体路神経系は、大脳の運動野から出て延髄で左右が交叉して、その経路が円錐型を示すため錐体路系と呼ばれる運動神経です。大脳の機能つまり考えに従って動く筋肉を支配しますから、意志の力で動く筋肉を支配するのです。この神経は上陸して酸素が増えてのたうち回ったときに、交感神経とともに発生するのです。

原始型のサメにはこれらの筋肉が存在しないのですが、これはサメが自分の考えで動かす筋肉を持っていないということです。サメの動きのすべては腸の平滑筋の動きと副交感神経系の働きに従って錐体外路系の筋肉によって反射的に動くのです。

筋肉は神経の効果器管であり、機能器官ですから、動物の動き方という機能の変化に対応して筋肉が変化すると、神経もそれに従って発生して来ます。

交感神経系の発生と錐体路系の発生は、何に対応しているのでしょうか？

これも脊椎動物の進化の第二革命の上陸劇に対応しているのです。上陸劇では酸素が水中から急激に増え、重力も見かけ上六倍にも増えます。生活媒体の熱容量が最も大きい比熱一の水から極めて小さい空気に変わり、重量にして水の千分の一の空気に変化します。

進化における環境因子と化生

この生体力学的変化を従来ただばく然と環境因子と呼んでいましたが、この変化に対応して、原始鮫（棘魚類）が水を求めてのたうち回っているうちに、くり返し襲ってくる潮の満ち引きで、取り残された浅い汽水に生き残ると、同じ遺伝形質のまま鰓の軟骨や腺や筋肉の中の血管が自動的に変化してくるのです。サメ（と水棲アホロートル）の心臓は造血器官で、心臓を養う血管がありません。血管の発生とともに、血管運動神経として交感神経が発生します。

脊椎動物の個体をつくるおびただしい数の細胞がすべて同じ遺伝子を持っていることを思い出してください。そしてそれらの細胞の酸素を含めた栄養を体中に均等に配達しているのが血液です。

上陸では、のたうち回っていると血圧が海水中の一五（ミリ水銀柱）から三〇（ミリ水銀柱）に上がります。すべてが解離しているミネラルとコロイド状の栄養分を豊富に含む血液は、血

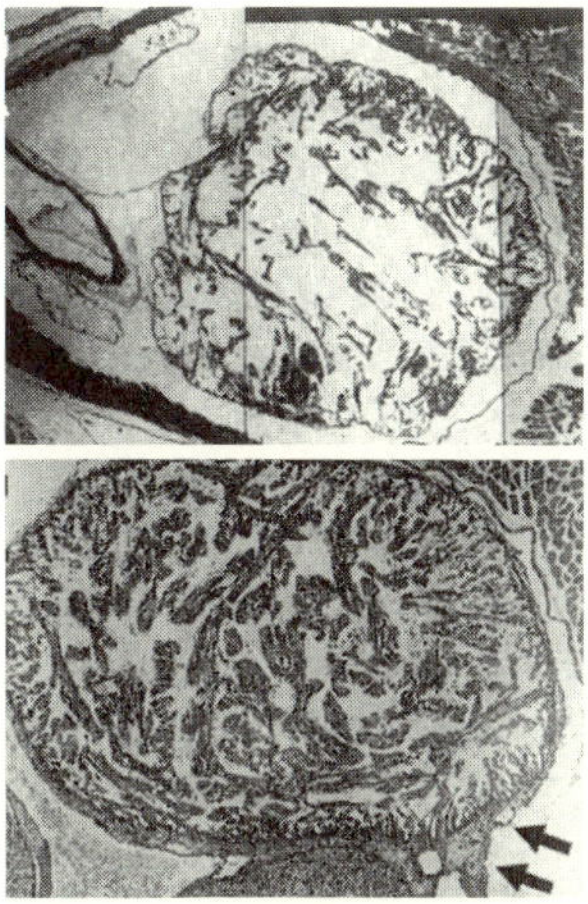

図Ⅲ―9　陸上げして間もないアホロートルの心臓（上）と陸棲6カ月で冠動脈ができた心臓（下、矢印）

圧が上がると当然流れるスピードが早まります。その結果、流動電位が上がります。水は流れるだけで電位が発生するのです。水に電解質が含まれる血流のもとでは、心臓がポンプ作用をするだけで強い電位が発生します。この電位によって血管や筋肉をつくる細胞の遺伝子の引き金が自動的に働いていろいろな酵素が誘導されます。この血液中に酸素の量が三〇倍に増えて存在すれば、この酸素によっても未分化の間葉細胞は遺伝子の引き金が引かれて、ある条件下で赤血球が誘導されます。

7　四肢からみる生命進化

鰭のはじまり

四肢のはじまりは、原始型のサメの胸鰭《むなびれ》と腹鰭《はらびれ》です。その前の円口類は鰓の周りにあるひだ状の鰭です。摂食と酸素摂取の鰭と老廃物・余った栄養の生殖物質と食物残渣の排出の鰭です。さらにその前の単体節動物のホヤでは、腸管捕食と腸管呼吸を行う取水孔と排出孔のひだが鰭の源で、翼鰓類では触手に相当します。

鰭はもともと鰓の腺につながったもので、鰓の働きを助ける装置です。鰓の機能（働き）

とは、口から入ってくる酸素と、腸から還ってくる栄養豊かな血液とが鰓の呼吸運動のポンプ作用で動く鰓腺（心臓も鰓腺の一種）部で造血を行うことです。造血とは、未分化間葉細胞から血液細胞の赤血球と白血球をつくることです。これが鰓の上皮部分で行われる重要な機能です。もう一つの重要な機能が鰓の間葉（中胚葉）組織で行われる血液機能のなれのはての老廃の尿と余った栄養つまり生殖物質の産生と排出です。これが鰓の間葉器官の泌尿生殖器で、腎・副腎・生殖器官です。

脊椎動物の源はホヤですが、単体節のホヤのシステムが多体節の鎖サルパ型のホヤになると、頭進により用不用則に従って単体節の基本構造にそっくりの脊椎動物が出来上がります。ホヤには取水孔と排出孔があり、後者に接して肛門があります。

円口類では鰓腺はすべて軟骨で覆われています。この鰓腺の軟骨につながるのが鰭の軟骨で、胸鰭の軟骨は囲心腔につながり、腹鰭の軟骨は骨盤軟骨につながります。つまり手と腕になる胸鰭が、腸管呼吸と捕食の取り込みのシステムで、腹鰭が泌尿・老廃・食物残渣と生殖物質の排出のシステムなのです。骨盤域までが鰓のシステムですが、本当の鰓つまり上皮性の鰓は囲心腔底つまり横隔膜までで、サメのひも状の腎臓は囲心腔底につながって背筋に沿って尾側に伸びます。これが中腎です。哺乳動物の腎臓は後腎と呼ばれていますが、実は横隔膜に付着して頭進したひも状の腎が一塊として丸まったものです。

前述のように、臨床系統発生学から鰭（腕と脚）とは何かを考えると、乳幼児の突然死を完璧に防ぐことが出来ます。鰓器に由来する四肢や舌を常時刺激して動かしていれば、絶対に赤ちゃんが突然死することはないのです。ゆりかごかおしゃぶりを使うだけで、延髄から横隔膜神経（鎖骨上神経に由来）に呼吸のリズム運動のパルスが持続して出るからです。

臨床医学から器官の由来を考える

臨床系統発生学の創始には印象深い症例がありました。ある大学の教授が手遅れの口腔癌となり、筆者に紹介されて来ました。舌癌が進んで口腔底全体に波及して口が開かない状態となっていました。手術をしても助からないので、抗癌剤と放射線療法を行いました。患者さんのたっての希望で、病院には内緒で気功士を呼んで週に二回病室で治療を受けていました。筆者にだけこっそりと教えてくれましたので、気功の効果を客観的に観察してみました。治療が一クール終了した後にも気功を続けたところ、放射線と抗癌剤が転移巣には効果のないはずなのにどんどん縮小して口も開くようになりました。気を投入しているときに病巣に痛みを感じるとの訴えがありましたので、気功は恐らく体温と同じ電磁波であろうと考えて三〇枚程写真を撮影してみました。五枚くらいの写真に、気の投与中に気功士と患者さんから光が出ているのが撮影されましたので、医学的に気功を考えると生命エネルギーの電磁波が患者の副腎に作用して、副腎皮質ホルモンが分泌され、この作用で転移巣の癌細胞が白血球によって消化されることが予想されました。

白血球による細胞レベルの消化には内呼吸つまり細胞レベルの呼吸（ミトコンドリアによる内呼吸）が必須ですから、この患者さんに外呼吸として釈迦の横隔膜呼吸法を指導しましたところ、効果がてきめんでCTでわかるほどに癌が縮小しました。ベッドで寝ながら呼吸法を続けたところ、患者さんが自分でもわかるほどに癌が縮小してきたころ、突然、横隔膜呼吸の途中でお産そっくりの運動をするようになったと筆者に報告しました。本人がいうには「男なのにどう考えても足と腹の動きが出産運動と同じで、顎に残っている癌を身体が腹から胎児のごとくに排除したがっているようです」と報告するのでした。

大きな癌組織は、完成した胎児と同様に主要組織適合抗原を持つ肉塊となりますから、横隔膜呼吸法を続けると、余った栄養の完成体の赤ちゃんの排出・出産と同様に鰓の排出のシステムが作動し、足と腹を使って出産運動の引き金が引かれるのです。もとより、男性にも乳腺が存在し乳房があるごとくに、出産機能の筋肉の連鎖運動も遺伝子として男性にも存在するのです。この現象を見て臨床系統発生学を考えたのでした。

　この例でわかるように腕と脚はまぎれもなく、鰓の取り込みと排出の鰓腸と鰓腸の器官で、生命のいとなみの最も重要な呼吸の装置の一部なのです。

第四章　新しい免疫学の樹立――エネルギー代謝と疾病と人体の構造欠陥

1　エネルギー代謝と疾病

病気を治しながら免疫病治療医学をつくる

従来の自己・非自己の免疫学は移植時に発生する組織免疫系を中心にすえた考え方で、自然発生する本来の病気について扱うものではありません。新しい免疫学とは免疫病を治すための治療医学でなければ学問の存在意義がありません。そのためにはパスツールやコッホが細菌学の体系を樹立し、病原性細菌の感染症の概念をつくったときのように、病気をよく研究して、病気を治す目的を通して疾病の原因を究明する手法をとらなければなりません。そこでまず生命の仕組みや健康の仕組み、病気の仕組みについて考えながら免疫病治療医学の新体系をたててみましょう。

生命の仕組みから考えると免疫病はエネルギー代謝つまり機能の問題が中心となります。二〇世紀の医学はフィルヒョーの細胞病理学が中心でした。これはあくまでも器官やそれをつくっている細胞の形の変化を見る形態学中心の医学だったのです。形態学とは質量のある物質のみの問題で、機能とはエネルギーつまり質量のない物質が中心となります。従来エネルギーの面から病気を研究した人が見当たらないのです。形態学の手法には、器官の本質を知ろうと思ったら、その由来をたずねよという鉄則があります。免疫病とは器官の機能の変調ですが、機能の変調もその器官の本質を知ればわかります。したがって病変のある器官の系統発生学をたずねればよいことになります。

臨床系統発生学の創始

まず病気の仕組みを知るために、人体のすべての器官の系統発生学と個体発生学を熟知しなければなりません。系統発生学とは進化のことです。進化を解明した上で病気をよく観察しなければなりません。観察のために病気を解剖するとともに、病変のある器官の由来をたずねることにより、前述のように病気の由来を知る臨床系統発生学をつくる必要があります。脊椎動物の進化が解明されれば、哺乳動物の中で人類のみに存在する身体の構造的欠陥がわかります。ことばの習得による外呼吸の障害の口呼吸と直立二歩行による重力の過重と栄養摂取の過剰による発情の長期間の持続、噛まない丸のみの食べ方と冷たい物中毒という誤った食文化等が原因となって免疫病が起こっているのです。

個体発生と系統発生の間に見られるヒトと他の宗族（脊椎動物）間における各種臓器間の形態学的ならびに機能学的な深い相関性に着目し、これを臨床医学に応用して疾病の発症の関連性の解明をはかるとともに、進化の謎解きに活用する学問を筆者は臨床系統発生学と呼んでおります。つまり、系統発生を遡って、宗族と生命の源をたどり、そのオリジンがどのように形を変えるかを熟知し、それに基づいてヒトの多種多様な器官のオリジンを知り、器官に発症する疾患の原因を究明する学問で、これにより新しい免疫学の体系を打ち立てる端緒が得られるのです。生命反復学説と用不用の法則から疾病を研究する手法の学問でもあります。

エネルギー代謝の細胞小器官ミトコンドリアと病気

生命とは、エネルギーの渦の回転とともに起こるリモデリングで老化を克服するシステムのことです。個体丸ごとのリモデリングが遺伝現象です。従来エネルギー代謝やリモデリング（新陳代謝）の面から病気を考えた人がいなかったのです。ここではエネルギーと病気について考えましょう。

高等生命の発生はユーカリオータ（真核生物）に好気性のプロカリオータ（原核生物）のミトコンドリアの寄生した段階がオリジンです。ミトコンドリアは細胞呼吸すなわちエネルギー代謝を担当しています。ユーカリオータのうち多細胞性の脊椎動物は、活動のほとんどすべてが原核生物のミトコンドリアのエネルギー代謝に依存していますから、高等動物のすべての機能も形の変化も究極では、ミトコンドリアの活性に依存しています。従って身体の健康も病気も、毒物の作用も解毒の力もすべてはミトコンドリアの機能に依存しています。そしてこのミトコンドリアの機能は、生命体に取り込まれる質量のある物質（栄養・寄生体・毒物・酸素・ガス・ミネラル等）はもとより、からだの外から作用する質量のないエネルギーの作用を強く受けます。恒温性の哺乳動物は、ことに温熱エネルギーと重力エネルギーに基づく力学作用と圧力（気圧・水圧）、温度と太陽光線と放射線の影響を強く受けます。

生命体の溶媒は厳密に電解質を解離する水に限られていて油の溶媒の生命はありません。これは生命の本質が電気現象（エレクトロン〔電子〕の受け渡し）であることを意味します。

したがって質量のある物質では、ミネラルと水素イオン濃度に深く影響されます。体液のＰＨ（水素イオン濃度）が変化するとすぐに死んでしまうのが高等生命体です。恒温動物のミトコンドリアの代謝は、個体の外から作用する寒冷エネルギーですぐに障害を受けます。ミトコンドリアの本質的機能がＴＣＡサイクルを回転する細胞呼吸、つまり酸化的リン酸化で、エネルギー物質のＡＴＰを産生することですが、リン脂質の膜を使ってこの生命に本質的に重要なエネルギー産生を行っています。この機能に必須のものがビタミンB_1とＣとCo–Ａ（補酸素Ａ）で、不可欠脂肪酸も必須です。アセチルCo–Ａからメバロン酸が出来、これが重合してスクアレンが出来、さらにこれがミトコンドリア内でステロイド核となり、ステロイドホルモンとなります。副腎髄質から出るアドレナリンも三〇種類の皮質ホルモンも、標的器官はミトコンドリアです。ミネラルコルチコイドもグリココルチコイド（イオン量の調節や血糖値にかかわるホルモン）も、ＴＣＡサイクルの回転に必須なのです。そしてミトコンドリアはバクテリアと同じプロカリオータですから、微生物に効く抗生物質はすべてのミトコンドリアの機能に何らかの影響を及ぼします。

腎・副腎と外呼吸の構造欠陥

内呼吸のミトコンドリアの機能と外呼吸の鰓と肺の機能の仲立ちをするのが鰓関連器官の腎・副腎・脳下垂体・甲状腺です。副腎のミネラルコルチコイドとグリココルチコイドとアドレナリンは標的器官がミトコンドリアです。副腎は細胞呼吸を制御する器官です。

口呼吸は人類だけが可能な人体の最も具合の悪い構造欠陥です。口で呼吸をすると好気性の常在菌やマイコプラズマが常時ワルダイエル扁桃リンパ輪のM（マイクロフォールド）細胞から白血球内に取り込まれて体中をめぐります。また冷たい物中毒でも腸扁桃のM細胞から腸内細菌が白血球に取り込まれて身体をめぐります。白血球内のミトコンドリアと好気性菌はともに酸素を必要とするため、白血球のエネルギー代謝に障害を生じます。

M細胞は小胞を形成し、その中に細菌を取り込んで白血球が消化して分泌型のIgA（免疫グロブリンの一種）を産生して唾液や洟《はな》に分泌するシステムですが、細菌が多量に入ってきて、口呼吸で洟や唾液が涸れるとIgAと抗原の反応した複合体が小胞内で形成され、血液内に吸収され血中をめぐり腎臓に達すると糸球体を障害します。これが口呼吸が原因で起こるIgA腎症（ネフローゼといわれた透析の必要となる腎臓の障害）です。

腎臓も副腎も泌尿生殖系の器官も元来が鰓の間葉系の装置ですから、第二鰓腺のワルダイエル扁桃リンパ輪が常在菌に感染すると腎・副腎系とともに子宮や膀胱、前立腺がしばしばやられます。

常在菌やウイルス・マイコプラズマのこのような白血球や組織球の不顕性の感染で発症するのが従来、自己免疫疾患と呼ばれていた一群の疾患です。内呼吸と外呼吸を結びつける腎・副腎のしくみを解明したら自然に新しい免疫学の体系が完成しました。

2　病気のエネルギー因子を治療しながら探る

脊椎動物の進化が重力作用に基づいた生体力学を主導として、用不用の法則のもとに起こっていることを人工骨髄チャンバーと人工歯根を開発することにより筆者が明らかにしました。進化がラマルクの用不用則に則って重力エネルギーのもとで起こることが明らかとなれば、エネルギーで体調が良くも悪くもなり、当然不適当なエネルギーを身体が受ければ病気にもなることがわかります。人類のみの持つ身体の構造欠陥とエネルギー代謝の変調の関係をよく観察する必要があります。新しい免疫学をつくるには、病気を従来の病因論のほかにエネルギーの視点を加えてじっくりと観察し、従来の病因の除去に加えて不適当に身体に作用するエネルギーを除くことも必要です。

臨床系統発生学をつくるもととなった症例、ならびにこの学問の応用で有効な治療を行った実際の症例を示します。

実際の症例

〔第一症例〕

七三歳の男性。全身の掻痒感をともなった皮疹と歯肉の腫膿。東大病院内科にて白血病・痴呆の診断のもとに一年あまり入院治療中に、紹介されて口腔科を受診した。受診時歩行困難で会話は出来ず、歯肉が全体に腫膿し、腫瘍状に腫瘤を形成していた。抜歯に対しては非常な恐怖心を抱き、話すことも理解できたので、痴呆ではないことが明らかであった。慎重に抜歯を完了したところ歯肉の腫瘤が消失・完治すると皮疹が消失し、会話も可能となりニコニコして白血病も治り完治退院した。内科では診断名を白血病から骨髄異形成症に変更した。

この症例を深く考えてみましょう。まず、歯肉にひどい炎症があると、歯を支える顎骨の骨髄に炎症が及びます。普通では高齢者の顎骨の髄腔は脂肪髄で造血はしないが、強い炎症があれば白血球造血が起こり、この白血球に大量の雑菌と歯周病菌が感染します。個体発生の過程で顎骨は皮骨に由来し、皮骨は外胚葉に付属する中胚葉の真皮に由来しますから、感染した白血球が外胚葉由来の器官である皮膚と脳・眼・鼻・耳を障害します。それで皮疹と痴呆と黴菌だらけの白血球の増多症（これを内科で白血病と誤診した）が抜歯しただけで治ってしまったのです。これでアトピー性の皮膚炎で、無茶をすれば網膜に炎症が発症して失明することも理解できるでしょう。

〔第二症例〕

千代田区在住の七〇歳の女性でバスを待っていたら突然、体中に強い瘙痒感のあるじんましんが現れ掻いているうちに気絶して救急車で病院に運ばれた。やがてしばしばじんましんと気絶が起こり、著者の「口呼吸は万病の元」という講演を同区の高齢者センターで聞き、鼻呼吸にしたところ、二度とじんましんが起きなくなったが、正しい生活姿勢を求めて筆者を訪ねて口腔科を受診した。鼻呼吸法と呼吸体操と睡眠姿勢を正して見違えるように生き生きしてきた。

この症例は、排気ガス（毒物）を鼻から吸えば浄化されてじんましんが起きないのに、口から吸うと肺から吸収された排（毒）ガスが直接白血球に取り込まれ、呼吸して三分程で皮下組織に達し、ここで消化不良の反応が起こりヒスタミンが生ずると、じんましんが出ます。皮膚は、原始脊椎動物の時代から毒物や余った塩類の処理排出のシステムです。脳・神経も外胚葉に由来しますから皮下組織に相当する脳の間葉グリアがじんましんを起こすと気絶するのです。臨床系統発生学を知らない医者はこの患者を奇病だといって大騒ぎをしたそうです。

〔第三症例〕

重症筋無力症か筋ジストロフィーに近い症状で小児科に入院中の四歳男児が口内炎・齲《う》蝕《しょく》症（むし歯）で紹介されて筆者を受診した。口呼吸がひどいためこれを改めながら口腔治療を進めたところ、筋無力症が著明に改善された。そこで母親に病歴を詳しくたずねたところ、お産に失敗して胎便（胎生中に出来る便で出生後に排便する）が肺に入ってこのような奇病になったとのことであった。重症筋無力症の患者は一〇〇パーセント口呼吸をしているから、口呼吸でワルダイエル扁桃リンパ輪が常在性の好気性菌に感染し、この感染した白血球が胸腺を汚染すると本症が発症すると考えられる。ワルダイエル扁桃リンパ輪は第二鰓腺に由来し、胸腺が第四鰓腺に由来するから、由来の同じ臓器の深い関連による感染の波及である。

この症例も胎便に肺が汚染されると、胸腺が単独に感染した重症筋無力症に似た症状になることを示していますが、これは肺が第六鰓腺に由来するので第四鰓腺由来の胸腺も当然、関連して汚染されているのです。

〔第四症例〕

前述した原因不明で失明して一三年経った四五歳の男性が『健康は呼吸で決まる』を音声に変換して聞いて筆者を訪ねて受診した。アトピー性皮膚炎が顔に見られたので、学生時代に激しいスポーツをしたかを問診したところ、アメリカンフットボールとラグビーをして、社会人になって三年目に突然車の信号が見えなくなって失明に気づいたとのことであった。口呼吸を改め、骨休めを充分にして、咀嚼をよくさせてアトピーを治療したところ、うっすらと人影がわかるようになり、色もわかるまで回復した。

脳と眼・鼻・耳等の神経と皮膚・毛髪は外胚葉に由来するから、この症例はアトピーが網膜に起こっただけのことです。スポーツでは骨格に過重の重力が作用します。ヒトは直立しているため、犬・猫などより大きな重力をうけて骨が疲労しやすくなります。その結果、骨髄の造血が障害されるのです。口呼吸と冷たい水で腸を冷やし骨休め不足が重なると容易にアトピーを発症しますが、ついでに重症の免疫病が発症します。白血球造血が過重の重力作用で弱ってしまうからです。

〔第五症例〕

六五歳の女性が糖尿病と歯周病で筆者を受診した。口呼吸が著しかったのでこれを改め、歯周病を治療し、人工太陽光線を足裏と頭部に照射（三〇分）したところ糖尿病が完治した。

歯周病菌と口呼吸の好気性菌が白血球にのって血行性に膵臓《すいぞう》に及ぶと糖尿病になります。太陽光線はヘモグロビンとチトクローム（鉄と蛋白質からなり、電子を伝達する呼吸蛋白質）を励起してミトコンドリアを活性化して免疫力を高め白血球の消化力を強化します。

〔第六症例〕

五歳の男児がてんかんと喘息で来院した。喘息はただの口呼吸が原因であるから、おしゃぶりを与えて以後七カ月以上一切発作の再発がない。てんかん発作は小児科で脳波の異常を指摘され、抗痙攣剤を服用して一年経過していた。問診で一歳半から生の甘えびを与えていたので生のえびや貝類の蛋白質によるアナフィラキシーの軽い発作であることが明らかとなった。えび、貝、魚の干物、肉類等を与えないようにし、人工太陽光線を照射したところ発作は全くなくなった。

哺乳動物の乳児には、大人の栄養の蛋白質を与えてはいけません。すべてそのまま吸収されて抗原となり時期が来ると抗体をつくり、アレルギーやアナフィラキシーの原因となります。ことに生エビ、貝、サシミ類とピーナッツバターとそばはアナフィラキシーで死ぬこともありますから二歳半まで絶対に与えないように注意しないといけません。これらの蛋白質はたぶん幼児の細胞のミトコンドリアで使われて、当初ミトコンドリアの機能が活発化します。一〜二年して抗体が出来るとミトコンドリアの電子伝達系が障害され、抗原のエビを与えると痙攣が起きます。ミトコンドリアの異常で脳波がおかしくなるのです。哺乳動物の乳幼児の腸粘膜の特性さえ知っていれば乳児の食品アレルギーは皆無となります。

〔第七症例〕

二七歳の女性。回帰性リウマチと大腸炎と頭痛で受診した。顔面は紅潮しており口呼吸がひどかったのでこれを改め、食物を選び、よく噛むように指導し、冷たい物中毒を完全に改め、骨休めを充分にしたところすべての症状が消失して完治した。

口呼吸で冷たい物を飲むと腸の門脈の酸素不足が起こり頭痛・偏頭痛が発症し、これがさらに進むとうつ病になります。口呼吸では常在菌等に汚染された白血球によって、皮膚も関節も腸も肺も膵臓も子宮もやられます。身体に作用する過剰の重力や不適当な温熱エネルギーを総合的に制御すれば免疫病は容易に予防できます。

〔第八症例〕

二四歳の女性。潰瘍性大腸炎の病名のもとに紹介されて来院した。口呼吸と冷たい物中毒を治し、食物を消化の良いものに改め、一口三〇回咀嚼させて骨休め不足を九時間睡眠に改め腸を温めたところ三カ月で完治した。

〔第九症例〕

一三歳の少女。生後七カ月からアトピー皮炎を患い、現在は皮膚が浅黒く毛深く、手のひじと足の膝の内側に皮疹が認められた。背丈が小さく小学三年生くらいであった。寝相（横向き）、片噛み、口呼吸を正し、七時間睡眠を九時間とし呼吸体操とうがいを何回も行い、塩類で皮膚を洗浄したところ一カ月で色が白くなり毛深くなくなり皮疹が消失した。冬休みに一三時間睡眠を二週間続けさせたところ六センチ身長が伸び、肌が白くなり大変喜んでいた。

〔第十症例〕

六七歳の女性。学士会夕食会で「健康は呼吸で決まる」という講演を行ったところ、会報を読まれた某大学総長の姉という方が気管支拡張症で公立病院でこれ以上症状の改善はないが薬を続けるように言われたので、口呼吸を鼻呼吸に変えて肺を治療したいと来院された。睡眠中にノーズリフトとブレストレーナー（おとなのおしゃぶり）と口唇テープを使い、ふわふわ枕で上向きに眠るよう指導を行い、冷たい物を一切飲食しないようにし、呼吸体操と人工太陽燈による光線治療を行ったところ一週間で咳と痰が半減した。著明に改善が得られたので一カ月後にはクラリス（肺のマイコプラズマ症に有効な抗生物質）の服用を減らし、その後服用しなくても症状が改善された。

〔第十一症例〕

六二歳の声楽家で重度の間質性肺炎で有名国立大学医学部病院にて治療を受けていた。鼻呼吸と食物内容指導とともに冷たい物中毒を改め、咀嚼訓練と呼吸体操、睡眠姿勢の矯正と人工太陽光線療法を行って著しい改善が得られたので服用していた内科の薬を徐々に減らすように指導したところ、病状はさらに改善され咳も痰も消退した。薬を中止して経過良好時に内科を受診したところ「薬は服用していますね」という問いに「今はやめてます」というと医師の顔色が変わった。「服用しないならもう診ませんよ」といわれたが、検査データを見て「検査結果が良くなっているので今日はよいが以後薬を服用しないと診察しません」とのことで筆者にどうすべきかと相談してきた。「薬は服用しないで必要なときのために保管しておいて、医師には飲んでいますといっておきなさい」と伝えた。受診のたびにそういっていると、医者も大変上機嫌で、検査のたびに「薬が効いてよくなってますね」とのことであった。過労が続き咳と痰が再発した時に保管してあった薬を短期的に服用させて休養をはかったところすぐに回復した。その後九本の人工歯根の植立手術を一時に行って咀嚼器官を回復した結果、肺炎はさらに治癒方向に向かった。

十例、十一例ともにマイコプラズマ肺炎です。これは気道系の好気性の寄生体ですからミトコンドリアと同様に白血球内や組織の細胞内に寄生して活動すると、ミトコンドリアの酸化的燐酸化に必須の酸素を競合することによって細胞呼吸が障害されます。これには鼻呼吸による扁桃リンパ輪の感染予防と光線療法によるミトコンドリアの活性化が極めて有効です。

〔第十二症例〕

二六歳の女性。過呼吸症のパニックシンドロームでたびたび救急車のお世話になっている患者で、口呼吸と片噛み、横向き寝の習癖を持っていた。これらの習癖を正し、冷たい物中毒を改めさせ、すべて四〇℃の物のみを飲食するように指導するとともに、鼻呼吸体操を強力に指導したところ、二度と不安症の発症がなくなり、過呼吸症の発作は起こらなくなった。完治した段階で子どもの口呼吸を治してくれといって二人の娘（七歳と五歳）を連れてきた。子どもはおしゃぶりを使用させて簡単に治せるので治した次の診察日に、実は子育てが大変で、パニックシンドロームとなり不安を紛らわすうちにアルコール中毒になってしまったが、筆者の指導に従っていたところアルコール中毒まで治ったと涙ながらに喜んでいた。

パニックシンドロームは、本来の副交感神経によるゆったりした身体の活性化の横隔膜呼吸とは異なり、交感神経による胸式の意志の呼吸で、鼻でなくて必ず口による浅い呼吸となります。これに対しては鼻呼吸・横隔膜呼吸を指導し、緩やかな呼吸体操をして腸を温めると容易に治せます。これもうつ病や偏頭痛と同様に口呼吸と腸をはじめとする内臓の酸素不足で起こる病気です。アルコール中毒もまた、冷たい物中毒による腸と内臓の酸素不足が原因ですから、二つの厄介な病気が一つの鼻呼吸、横隔膜呼吸と腹を温めて腸を大切にする方法で完治します。

口呼吸でワルダイエル扁桃リンパ輪のM細胞から白血球に取り込まれた好気性菌は、体中をめぐり大腸に黴菌をうつせば大腸炎、膵臓にうつせば糖尿病、関節の白血球造血巣にうつせば関節炎やリウマチになります。これはミトコンドリアがもともと太古の時代に真核生物に住みついた好気性の原核生物（バクテリアのこと）で、ミトコンドリアの酸素を好気性の黴菌《ばいきん》が食ってしまって、エネルギー代謝がだめになり、結果として黴菌が白血球内で消化・殺菌できなくなるためです。特に体温を一℃下げると、哺乳動物細胞内のミトコンドリアはほとんどエネルギー代謝を止めてしまいます。それで腸を冷やすとお腹をこわすのです。ただ今日のように、赤ちゃんのときから腸を冷やすと慢性的な消化不良を起こし、低体温と成長の障害と体調不良で冷血漢のような人間が出来るのです。

前述のように免疫病の発症には口呼吸による常在菌の不顕性の感染のほか、細胞呼吸のミトコンドリアの機能に直接影響する温冷熱エネルギーと重力作用の過重（骨休め不足）が深く関与します。これらのすべてを制御して治療したのが以上で示した十二症例です。

ここで免疫病をまとめますと、古典的な疾病といわれた伝染病も、多くは自然免疫が生ずる疾患は極めて少なく、そのため種々工夫してワクチン等をつくったのです。元来感染症が発症するということは、高等動物と微生物が共存していることを意味するものです。腸内細菌も容易に血中に吸収されるのです。ただ、あまりにもその数が多いと問題となります。従って免疫力とは、細胞レベルのエネルギー代謝とともに起こる新陳代謝力、つまりリモデリングの力といえるのです。この章のはじめの部分で外呼吸の肺と内呼吸のミトコンドリアの仲立ちをする器官が腎・副腎の泌尿・生殖の器官であるということを述べました。この仲立ちを、主としてステロイドホルモンがしているのです。エネルギー代謝の源の外呼吸の肺と内呼吸のミトコンドリアとを結ぶホルモンがステロイドホルモンです。このことが今まで不明であったのです。免疫病では、からだ全体がわけのわからないまま不調になり、痛みや倦怠感や疲労感、微熱、息苦しさが出ます。これは実は細胞小器官のミトコンドリアのエネルギー代謝が様々な要因で障害されていたための病状です。このような症状にステロイドホルモンが有効なことが以前から経験的に知られていました。それで免疫病にやみくもにステロイドホルモンを使っていたのです。

病気の仕組み

従来の病理学による病気は奇形・外傷・感染症・炎症・嚢胞・腫瘍・その他に分類されました。これは主として細胞病理学による形態学による分類です。免疫病はこの中のその他に分類されるわけのわからない疾患でした。免疫病をエネルギー代謝の障害と考えて、身体にふりそそぐエネルギーを病気の原因と見るとともに、常在菌の感染もまた身体のエネルギー代謝を狂わせて病気を引き起こす因子として、わけのわからない病気をこれらのエネルギーと感染を制御することにより治したのが前述の症例です。

元来「免疫」とは疫病つまり、はやりやまいから免れて身を守ることを意味しました。これが大まかに血液の働きによることが知られており、疫病の原因が微生物によることが明らかにされたころには、これらの疾病に対抗する物質が血液のうち、血清につくられることが明らかとなりました。疫病に感染しても死なずに治ってしまうことがあります。そうすると免疫体が血清に出来ますが、これを免疫血清と呼びます。ヒトにも牛にも大して害を及ぼさない牛痘ウイルスを人体に接種すると天然痘に対する免疫力がつくことを発見したのが有名なジェンナーです。その後、ジフテリア菌を馬に接種してジフテリア免疫血清を作って治療したり予防した時期もありました。しかし馬の血清に抗体が出来ますので何回も馬の抗血清を同じヒトが使うことが出来ないことも明らかとなったのです。

医学が体系化されてくると病気には、疫病つまり伝染病以外にも種々あることが明らかとなりました。そして免疫力とは、疫病のみならず病気から身（生命個体）を守ることという風に変化してきました。病気には次の七種類があります。

①感染症　②栄養失調　③エネルギー代謝の障害　④リモデリングと分化の障害（ガン・奇形）⑤毒物の作用　⑥臓器移植の不適合　⑦外傷

これらの病気の原因には大略次の七種類があります。

①感染症：病原性の細菌・ウイルス・原虫等による感染症、寄生虫の感染症、常在菌や非病原性細菌等の不顕性感染　②栄養失調：栄養・ビタミン・塩類・酸素等質量のある物質の過不足　③エネルギー産生の失敗　④過労とエネルギー摂取の不適（重力・温熱・気圧・湿度・太陽光線・放射線・電磁波・音波・超音波）⑤毒性物質（蛋白質・排気ガス・毒物・

薬品類）の作用　⑥臓器・器官・組織の移植術にともなう組織免疫反応　⑦怪我（外力）

免疫学と呼ばれる前は、ある限られた疾病を抗血清で治した時代ですが、この学問は血清学と呼ばれていました。病気の分類からすると、この時代の免疫力とは、①の感染症のうち病原性微生物に対してだけであったことがわかります。今日の自己・非自己の免疫学は、ル・ドワランの胎生期のウズラとヒヨコのキメラに始まりますが、当然組織免疫だけの問題です。

現代の病気には、アレルギーからじんましんにともなう失神、皮疹とともに起こる痴呆症状、過労死、慢性疲労までも含めなければ、免疫病や免疫学を語る事は出来ません。なんとなれば、免疫病にかかるヒトは、ほとんど例外なく疲弊しているからです。そうすると免疫力、つまり病気にならない力とは、細胞レベルの生命力のことということになります。つまり個体が受精後に発生し分化し成長し、リモデリングする新陳代謝力が細胞レベルの生命力であり、病気への防衛力です。この細胞の成長力・リモデリングの力は、エネルギーの渦（代謝）の回転とともに起こります。エネルギーの渦は、ほとんどが細胞呼吸、つまり内呼吸でまかなわれます。免疫力を知るには、細胞呼吸を知らなければなりません。

この免疫力が先に述べた①感染症　②栄養失調　③エネルギー産生の失敗　④過労　⑤毒

物の五種類の原因で障害されると免疫病が発症します。アトピー性皮膚炎や喘息、サルコイドージス、気管支炎、心筋症、動脈硬化はこれら五種類の一つないし複合で起こるもので、ほとんどの症例に常在菌の不顕性の感染がベースとしてあります。従って免疫学とはこの五種類を制御して病気の発症を防止するとともに、すでに発症している人の病気の原因が何かを適確に解明し、これを除いて治癒させる医学の体系のことです。原因の診断と病気の治療は表裏の関係にあります。したがって治療的診断で原因が明らかとなります。

新しい免疫学

生命現象は、「リン脂質の半透膜に境された、水溶液内における固相・液相・気相の質量のある物質のコロイド（分子ほどの大きさの微粒子）で、時間の作用のもとに、栄養を酸素によって燃焼して生ずるエネルギーの渦の廻転とともに起こるリモデリングによって、個体のパーツのエイジングを克服するシステムです。個体丸ごとのリモデリングが遺伝現象であり、通常は生殖を介します」。生命の溶媒はすべての物質の基準となる（比重一、比熱一、氷点〇℃・沸点一〇〇℃）水に限られます。油の溶媒の生命は存在しません。水が電解質を解離する性質を持ち油は解離出来ないからです。つまり生命現象はコロイド内における電気現象なのです。そして多細胞生命体はイオンチャンネルの膜電位で上皮・神経系とホルモン系が制御され流動電位で間葉系の筋肉・骨格・脈管心臓系が制御されています。

脊椎動物の複雑な体制は膜電位とホルモンと身体の機械的動き（バイオメカニクス）が流体力学を介して流動電位に変換され、これが細胞遺伝子の引き金を引くことによる細胞分化の三段階で成立しています。これにより六〇兆個の同じ遺伝子を持つ細胞がおびただしい種類の違った形と機能を持つ細胞からなる多様な器官や組織を形づくり全体として統一ある個体をつくっているのです。

地球には大略三種類の生命が存在します。原核生物（プロカリオータ）、真核原生生物（ユーカリオータ）と多細胞生物です。すでに再々このことを記しますが、従来の生命科学でこのような基本的なことがあまりにもおろそかにされていて、なじみにくいことだから、何回も書いて頭に入れていただきます。

生命はエネルギーの渦を回すのに、生活媒体から高エネルギー物質（栄養）を体内に取り込み、それを分解して出る力を使います。生命の外から作用するエネルギーで生命力の渦は影響を受けます。原核・真核原生生物は重力エネルギーや温熱エネルギー（四℃～四〇℃の間）の影響をほとんど受けないのに対して、多細胞生命は強い影響を受けます。

一個の細胞内への栄養の取り込み法もこの三者で異なります。原核生物はメデューム（生活媒体）内の栄養を直接吸収して生命力の渦を回します。真核生物はメデューム内の栄養を直接吸収するほか食胞（細胞内にとり入れた食物を囲んでできる空胞）として取り込んで消化して使います。直接吸収する物質は　細胞小器官のミトコンドリアが消費して呼吸の代謝を回転します。ミトコンドリアは真核生物に寄生した好気性の原核生物で呼吸すなわち酸化的燐酸化を行い、ＴＣＡサイクルを回します。多細胞生命は、食べたものを腸で消化して血液がこれらの栄養を各細胞に運び、各細胞が血液から直接使える栄養を吸収してミトコンドリアが使うほか、ピノサイトーシス（細胞膜による貪食作用）で栄養物を吸収して細胞内で再消化して消費します。多細胞生命は血液が運んできたものを細胞レベルで再消化し細胞呼吸とともにリモデリングに供します。この力が細胞の生命力であり、病気に克つ（疫を免れる）力すなわち免疫力なのです。

細胞呼吸のミトコンドリアの障害はただちにコラーゲンと軟骨と骨形成の障害につながるとともに、細胞のリモデリングの障害を発症します。これが免疫病です。ビタミンB_1の完全欠乏では　心臓のミトコンドリアの機能が停止して即死します。脚気心臓がこれです。

骨性の脊柱と腸管呼吸器を持つのが脊椎動物の特徴ですから、腸管呼吸と細胞呼吸の関係と骨髄造血発生の謎を究明すれば脊椎動物の謎は一気に明らかとなります。細胞呼吸の酸素の担体（vehicle）は赤血球であり、この発生は元来が腸管です。これが骨格器官の骨髄腔に移動する原因子を究明すると免疫系の謎も解けます。

著者はこの原因子が、「はじめに」でも紹介したように、重力エネルギーへの生命の対応による血圧の上昇に伴う流動電流の高まり（一・五マイクロアンペア→一〇マイクロアンペア）にあることを、人工骨髄造血装置を開発して、モデル研究で明らかにしました。その結果、免疫病が長時間の立位姿勢による骨休め不足（過重の重力作用）や腸を冷や酒で冷やすといった質量のない物質エネルギーの摂取の仕方の誤りと、エネルギー代謝の要の外呼吸の失敗による雑菌の不顕性感染によることを明らかにするとともに、細胞呼吸の要のミトコンドリアの代謝の障害が腸管の栄養吸収系の損傷と腸やのどの常在菌等の不顕性感染によることを世界に先がけて解明しました。

これにより乳児の離乳食アレルギー（抗原性を有する蛋白質による乳児のアトピー皮炎）発症の謎も、母乳によるアトピー発症の謎も究明されました。

一方、代謝性の疾患の代表の糖尿病の重症例では必ずミトコンドリアがつぶれてしまいます。つまりミトコンドリアは糖の代謝も脂質や蛋白質の代謝も性ホルモン、泌尿排出系はもとより身体のすべてをコントロールしているのです。ミトコンドリアの変調がアレルギーやアナフィラキシー、分裂病やうつ病、自閉症やいわゆる免疫病の本態であることが解明されました。

こうしてアレルギー発症とリモデリングの障害を中心として免疫病発症の謎が究明されたのです。多細胞生命の新陳代謝の基礎は真核の原生動物細胞にあり、その代謝の源は原核生物の呼吸系つまりミトコンドリアのエネルギー代謝に存在しています。

つまるところ免疫病とは外から作用する重力・温熱・光エネルギーの不適と腸粘膜を通って血中に入って来る寄生体（細菌・ウイルス・原虫・寄生虫等）、蛋白質、ホルモン、アミン、抗生剤等薬物、毒物（排気ガス）等によってミトコンドリアの呼吸機能が障害され、細胞レベルの生長・発生・リモデリングが障害され、結果として神経細胞・筋肉組織・皮下組織軟骨細胞・血管や各種臓器や器官の動きが駄目になったものをいいます。

内呼吸システムのミトコンドリアと外呼吸の鰓腸筋肉系

単細胞動物の原生動物は真核生物で、細胞内に一般に細胞小器官のミトコンドリアを持っています。原生動物の外呼吸のシステムは、細胞表面にあり、内呼吸は細胞膜から取り込まれた酸素と糖類がミトコンドリアで酸化的燐酸化反応によってＴＣＡサイクルが回転して起こるエネルギー産生反応です。ミトコンドリアのつくるエネルギーによって動物は生命活動の大半をまかなっています。原生動物に外呼吸と内呼吸を仲立ちするシステムがないのは、単細胞であるため、メデュームから直接ミトコンドリアに必要な栄養と酸素を細胞膜で吸収するからです。

脊椎動物以外のものは、単細胞の原生動物に似た皮膚呼吸を行い、皮膚から酸素を吸収し、腸から吸収した栄養を腸管に附属する心臓循環系の血液で体中の細胞に運び、細胞膜から吸収されるとミトコンドリアでエネルギー物質のＡＴＰがつくられる細胞呼吸が行われます。

これに対して脊椎動物だけは、腸管呼吸（鰓腸↓肺臓）を行い、骨性の脊柱を持っています。動物の進化における形の変化は累代に及ぶ習慣性の動き方が決まると、バイオメカニクスにもとづくウォルフの法則によって形が決まります。脊椎動物は、翼鰓類（苔虫《コケムシ》類・フサコケムシ）が腸管哺食のついでに翼にあった鰓の呼吸上皮を腸管内に誘導したときから他のものと分離しました。そして腸管呼吸の動きの源は波の反復運動です。脊椎動物だけは、鰓腸呼吸の鰓腺の運動の一部が循環系の心臓となります。つまり脊椎動物だけは、外呼吸のシステムに心臓が含まれるのです。

メクラウナギ（円口類）の鰓はまるで心臓のごとくぐにゃぐにゃと動きます。有顎類の原始脊椎動物のサメに至ると、鰓心臓は一つにまとまり、各鰓腸呼吸内臓筋が鰓弓骨に付着して合体し動かない舌を形成します。この舌の中心に鰓ごとに存在した心臓が退縮して鰓動脈を形成し、その根本に囲心腔に囲まれた心臓があります。円口類では鰓はすべて、薄い軟骨で覆われていますが、この軟骨はサメの鰓弓と心臓を囲む軟骨にうけつがれます。鰭とつながる軟骨（鎖骨）も囲心腔の腹側を形成し鰭を動かすと心臓が動くようになっているのは、鰭も鎖骨も元々鰓弓であったという事です。心臓が悪くなると腕が痛むのはこのためです。

従来は、哺乳動物には呼吸内臓平滑筋は、咀嚼筋・嚥下筋・発声筋・耳小骨筋・顔面表情筋となってしまって、呼吸専門の筋肉はないといわれていましたが、舌筋と囲心腔の尾側底までが呼吸内臓筋ということです。したがって腕となる胸鰭も足となる腹鰭も横隔膜も鰓腸呼吸システムの一部なのです。

爬虫類は肺が囲心腔をよけて骨盤域まで形成されますが、呼吸運動は主に咽頭部の筋肉と腹壁を使います。これはもともと鰓弓筋だったところです。

3　身体の仕組みと健康の仕組み

内呼吸と外呼吸を結ぶシステム

単細胞の原生動物と多細胞の脊椎動物では身体の仕組みが異なります。各種多様な機能を持つ細胞内の小器官が一つにまとまっている原生動物と違って後者は、機能が分化した細胞群からなる多くの器官が複合して出来ています。骨性の脊柱を持つ脊索動物で、腸管呼吸を行うのが脊椎動物です。骨と腸管呼吸が脊椎動物の特徴ですが、腸管呼吸の原型が鰓で、骨の原型が軟骨です。鰓は上皮と中胚葉系で赤血球造血を行う造血器で、軟骨は細胞呼吸のミトコンドリアのエネルギー代謝の産物であるとともにその材料でもあります。

内胚葉の腸の上皮と外胚葉上皮の皮膚・呼吸粘膜からは、上皮下の代謝による不要産物が排出されますから、鰓も酸素の取り込みの装置とともに排出も行います。腸と体壁系の筋肉の排出システムが原始脊椎動物の脊索類の鰓に存在する腎・副腎システムです。これは筋肉の代謝産物の排出とともに身体全体のエネルギーをはじめとするあらゆる代謝とその産物を制御しますから、水棲時代には水にとけた炭酸ガスの排出はもとより、当然、余った栄養の生殖物質や脂肪からミネラルの制御まで行います。これが泌尿生殖器で、これも実は鰓のシステムの一部だったのです。

鰓が呼吸を担当しますから、原始型では活発なミトコンドリアのエネルギー産生のもとに赤血球造血が鰓で行われ、エネルギー代謝と同時にミトコンドリアは軟骨を排出しますから、その結果、円口類の鰓腺はすべて軟骨で覆われます。コラーゲンと軟骨がミトコンドリアの代謝産物であり、代謝回転の材料でもあるのです。鰓腸（エラ）の中胚葉の造血と筋肉の同化・代謝・異化の産物の貯蔵と排出をつかさどる腎・副腎・泌尿生殖系は外呼吸と内呼吸を結ぶシステムです。つまり身体全体の細胞レベルの呼吸を支える装置で鰓の本質の造血器の一部を構成します。その名残で、ヒトの腎臓には今だにエリスロポエチンという赤血球造血を誘導するサイトカイン（酵素蛋白質）が産生されます。腎では、身体のすべての器官や臓器とすべての筋肉・骨格系から血液によって運ばれてくる新陳代謝の産物や不用のミネラルを濾過して排出します。

副腎には、髄質と皮質があり機能が異なります。髄質からは、内分泌ホルモンとして心臓脈管系を介して糖と脂質の代謝を亢進させる交感神経作用のあるアドレナリン・ノルアドレナリンが分泌され、皮質からは、糖質コルチコイドとミネラルコルチコイドと性ホルモン

（アンドロジェン）が内分泌つまり血中に排出されます。糖質コルチコイドは糖質に限らず脂質・蛋白質の三大栄養素すべての中間代謝を制御し、ミネラルコルチコイドは腎臓に作用してNa^{+}（ナトリウムイオン）、H^{+}（水素イオン）、Cl^{-}（塩素イオン）、K^{+}（カリウムイオン）の排出と吸収を制御します。糖質コルチコイドでつくられる余った栄養の脂質と生殖細胞の分化誘導を制御する装置や器官の発達をうながすのが性ホルモンのアンドロジェンです。

はじめに述べたように、生命は三大栄養を燃焼してエネルギーの渦を回しイオンを受け渡してリモデリングをするコロイドシステムです。糖質コルチコイドがエネルギーを担当し、ミネラルコルチコイドが栄養塩類（K^{+}、Na^{+}、Mg^{+}〔マグネシウムイオン〕、Ca^{+}〔カルシウムイオン〕、H^{+}）等の代謝をともにミトコンドリア内で代謝して制御します。生命現象の本質を司るホルモンが副交感神経性（コリン作働性）の副腎皮質ホルモンで、糖と脂質の血中濃度を高め血圧を上げて脈管系を介して身体を活発化するのが交感神経性の髄質ホルモンです。ブドウ糖をはじめとする三大栄養をピルビン酸（焦性ブドウ酸）に分解してチトクローム呼吸酵素で栄養塩類と酸素を用いてクレブスの回路を回してATPをつくるのが先に述べたミトコンドリアです。

したがって、副腎はそのホルモンにより外呼吸の鰓から取り込んだ酸素・ミネラルと腸管から吸収した栄養素を実際に機能させるエネルギーのジェネレーターなのです。そして、脊椎動物の生命の源となるエネルギー代謝は、ミトコンドリアとこの機能をコントロールする副腎のホルモンの働きにほぼ一〇〇パーセント依存しているのです。

こうして出来た余ったエネルギーは、細胞のリモデリングつまり新陳代謝として消費されるとともに余った栄養として貯えられ、その一部が生殖細胞になります。この変換もすべて、三〇種類以上あるステロイドホルモンで制御されます。そしてこのステロイドもまた、ミトコンドリア内で補酵素Aからメバロン酸が合成され、さらにこれが縮合してスクワレンとなりコレステロールとなりステロイド核となり、ステロイドホルモンとなります。交感神経によって分泌される髄質ホルモンのアドレナリンは、糖がミトコンドリアで代謝される前段階を制御します。したがって交感神経の発生する前の原始型のサメには、副腎髄質が当然存在しないのです。生命現象の本質が再々述べますように「エネルギーの渦の回転とともに起こるリモデリングで生殖がリモデクリングの究極のすがた」ですから、この観点からすると血液を介して腸から吸収した栄養を同化・代謝・異化して尿と炭酸ガスと脂肪と生殖細胞に変える腎臓は生命の本義を体している器官ということが出来ます。

ミトコンドリアの細胞呼吸に必須のものが、ビタミンB_1と補酵素A、NAD（ニコチンアデニンディヌクレオチド）でこれらは核酸塩基（ピリミジン・アデニン）と硫黄とリン酸が含まれています。アセチルコリンもアセチルCo－Aから生成されます。ミトコンドリアの呼吸が回転すると、代謝産物として硫黄を多く含む軟骨が排出され、呼吸が飛躍するとミネラルの代謝が活発化して軟骨にミネラルのＴＣＰ（三リン酸カルシウム）が加わり、生体内で結晶化してアパタイト（リン灰質）となります。ホヤの細胞呼吸の最も盛んな皮膚に軟骨の楯鱗が発生し、円口類の鰓の周囲が軟骨で完全に覆われるのはこの理由によります。そしてこの軟骨が、脊椎動物の活動の活発化にともなった細胞呼吸の飛躍によってアパタイトとなって硬骨化するのがやはりミトコンドリアの機能の亢進によるものです。

健康はエネルギー代謝で決まる

こうして脊椎動物の体制をよく理解すると、ヒトをはじめとする哺乳動物は、栄養と酸素を吸収する鰓腸が骨盤域まで達した動物であることがよく理解されます。そして外呼吸の鰓の進化変容した肺と、成人で六〇兆に及ぶ一つ一つの細胞の内に存在する細胞呼吸のミトコンドリアとの仲立ちをするのが血液の赤血球と白血球で、ミトコンドリアの機能を直接制御するのが副腎皮質のホルモンで血圧や血糖によって間接的に制御するのが髄質のホルモンです。つまり外呼吸システムの鰓の間葉系器官の腎・副腎の泌尿生殖系の分泌するホルモンは一〇〇パーセント細胞呼吸のミトコンドリアが標的器官であったということです。そして脊椎動物の特徴である骨性の脊柱の骨と腸管呼吸器の鰓（肺）を結ぶ器官が細胞呼吸のミトコンドリアだったのです。

骨はミトコンドリアの機能に必須のリン酸とカルシウムと栄養塩類のすべてを持っていますから、ミトコンドリアは骨から材料を得て酸化的燐酸化を行い、その産物を軟骨や骨として排出して、一生涯にわたって末永く共役的関係にあります。骨休めを怠ると骨髄造血系が不調となり結果として呼吸細胞が障害されるのはこのためです。すべての細胞の生命活動と機能には円滑な細胞呼吸によるエネルギーの産生と代謝が必要だからです。

二〇世紀のサイエンスの最大の成果である「エネルギー保存の法則」が今日においてもライフサイエンスには生きていなかったために、今日の医学が一九世紀の「質量保存の法則」のもとに成立していたのです。これが形態学を中心としたフィルヒョーの細菌病理学に基づいたアメリカの臓器別医学であり、病気をなおす免疫病学からみると、免疫病とはおよそ無縁の自己・非自己の免疫学だったのです。ここではエネルギー保存の法則に基づいてエネルギー代謝の面から健康と病気を研究した成果を示しました。エネルギー代謝とエネルギーという質量のない物質の視点からすれば、ヒトの個体は宇宙空間に浮いている地球の表面にへばりついて生きている完全開放系の存在です。生命体が質量のある物質のみで出来ていると誤解したために半閉鎖系と思って身体を理解したところに二〇世紀の医学のゆきづまりがあったのです。それで免疫病が治せなかったのです。エネルギー代謝を制御してこれで漸くにして免疫病が克服されるのです。

4　人体の構造欠陥

新しい生命観

エネルギーの視点から医学を再編成したのが新しい免疫学の樹立の内容です。つまり一九世紀の「質量保存の法則」から脱却し、二一世紀にしてようやく「エネルギー保存の法則」に則った医学を再編成したのです。「生命とは何か?」を新しい宇宙観のもとに体得して、新しい人の生き方を示す医学の体系をつくり出したのですから、新しい酒を新しい革袋につめたところです。エネルギー保存の法則を体得するのは、簡単なことではありません。

はらわたが完全に生きていれば、生命の本質の心は生きています。心が生命エネルギーで、生命にとって最も本質的に重要な質量のない物質であることがわかれば、脳死は正しい生命観からいって誤った考えということになります。「エネルギー保存の法則」に則った高い生命倫理観に従えば、臓器移植医術は否定せざるを得ないことになります。

エネルギーが質量のない物質であることを体得すると、生命進化もエネルギーのもとに解明され、心のありかもわかるのです。そうすると、二一世紀の今日の不安定な世界のありようが、どこからくるのかがわかってきます。医学の発達が今日、臓器移植にまで及んできました。宗教の根幹であるヒトの肉体の死と心や魂の死が一致しなければならないときに、分裂してしまっています。

エネルギーで進化が起こるということが明らかになった今、人体をくわしく調べると、人体には前章でもざっと述べた身体的構造欠陥が五つほどあります。まず、①口で呼吸が出来ることで、これで不顕性の感染が起こり、免疫病になります。②直立二歩行で過度の重力作用を受けて骨休め不足により、造血系のリモデリングが障害されて過労になり、細胞呼吸が障害されます。③六〇〇万年の蓄積により衣食住が足りて、余った栄養による発情の長期持続により、文明国で生殖行動の乱れが問題となっています。このほかに文明として問題になるのが④誤った生命観による医学の誤った発達と、⑤大脳の発達による快刺激の過剰な追求、が先進国で問題となっています。
次の項では、医学の誤りと大脳の過剰発達について述べてみましょう。

5 誤った生命観による医療

子育ての誤り

わが国でまず問題となるのは、子育ての誤りですが、この誤りで育った子が少年期、思春期、青年期にどうなるかを述べておきます。

離乳食を生後五、六カ月目から与えたり、冷たいミルクを与えると与えた直後つまり、生後五、六カ月目から口呼吸となり緑便（消化不良のためセメント色をした赤ちゃんの便。赤ちゃんの便はこがね色でなければならない）になります。緑便を一年も二年も続けていると、小児期から低体温となり、アトピー皮炎、喘息《ぜんそく》を経て腸の不調となり、ひどい場合は潰瘍性大腸炎やクローン病を二〇歳ごろに発症します。そして、腸を冷やすと、交感神経が麻痺して感情がにぶくなり、冷血漢になります。同時に白血球が腸内細菌を貪食しても消化できなくなり、あるとき突然、全身に皮膚湿疹が出ることがあります。冷たいもの中毒の親は、しばしばその子を虐待します。日本の小児科医も、二〇年前に目覚めたアメリカの医師のように、早く哺乳動物の乳幼児の腸の特性にめざめてもらいたいものです。あまりにも日本の医者は不勉強が過ぎます。

誤った産科学

最近の二〇年間で、人類史上未曾有の帝王切開が花ざかりになっています。これも、もとより万やむを得ない場合に、シーザーの時代から行われた方法ですが、今ほど安易にしてはいけません。自然分娩出来るように、光線療法により内呼吸を活性化し、体操をして骨盤とその周辺の筋肉や内臓を鍛えなければいけません。子どもが産道を通らないと、皮膚と肺の弱い子が生まれます。胎生期の生長の総仕上げとして狭い産道で体を十二分にしめつけて皮膚を仕上げると同時に肺に貯っている羊水を完全に口から排出させる必要があります。わずかに残った羊水は肺から吸収されてはじめて水呼吸から空気呼吸の変換がうまくいくのです。このとき母体も受精時の生殖行動の蠕動運動にはじまる腟と子宮という腸管器官の蠕動運動のうねりが出産によって完結します。赤ちゃんの産道通過の摩擦が無上の悦びとなって一連の性欲の連鎖が完結して憶の状態のしずけさが回復します。

帝王切開では母体のお産が完結していないので、交接を途中で中断したように欲求不満となり、母体は出産後あくなき性欲の亢進が起こり、家庭の崩壊につながる恐れのあるトラウマを母体に残すこととなります。子宮も腸管の一部ですから、当然心が宿る器官なのです。むやみに切って赤ちゃんを暴力的に取り出してはいけないのです。子宮を傷つけられた母親は出産後、閉経した後にも性欲のとりこになって、子どもや家庭をかえり見ないで淫《イン》行に走ってしまうこともありますから、注意しなければいけません。

臓器移植の医学

本書の主題のために引用したクレア・シルビアの手記が示す通り、生きたヒトを脳死として内臓を抜き取って移植することが、心を移植するのと同じことであることが明らかとなった現在、自然法にてらして脳死の考えが誤っていることを認めざるを得ません。同種間移植をやめて、早々にハイブリッド型（移植されたヒトの遺伝子を利用した複合型）の人工器官を開発するか、私が明らかにした、原始脊椎動物のサメの組織を活用した臓器移植術を実用化すべき時が来ました。サメの脳、神経、角膜、皮膚、筋肉、軟骨、腸、肝臓等の哺乳動物の成犬やマウスの同じ器官や組織への移植術の成功（図Ⅳ—1）は、原始動物が哺乳動物の

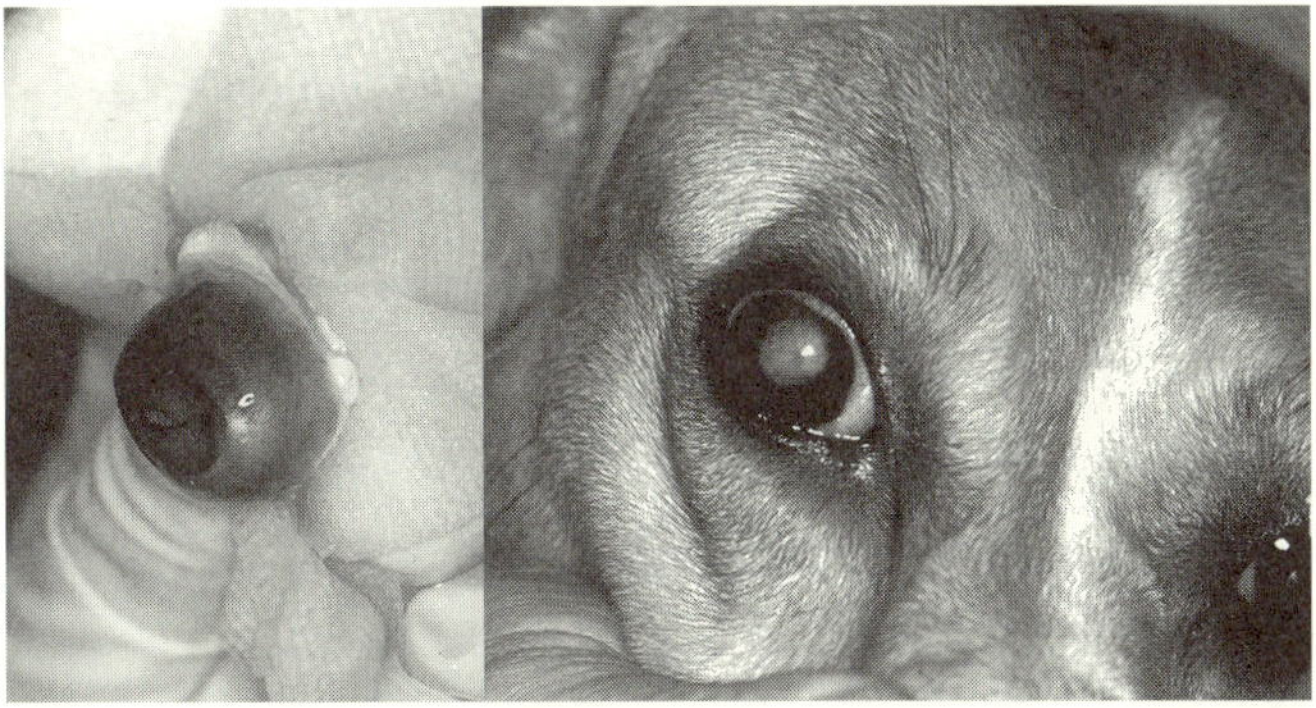

図Ⅳ―１　イヌへのサメの角膜移植（左：サメの眼　右：イヌへ移植成功）

胎児と同じ免疫寛容の状態にあり、したがってＥＳ細胞（胎生幹細胞＝Embryonic Stem cell）と同じであることを意味します。我々の祖先は、我が胎児の型が示す通り本当にネコザメだったのです。

わが国の古事記にも、皇祖皇宗のワカミケヌノミコト（カムヤマトイワレビコ・イミナ神武天皇）の父親ナギサタケウガヤフキアエズノミコトの母親つまり神武天皇のおばあさんの豊玉姫は八《や》ヒロもあるフカ（鱶）だったとあります。紀元三〇〇〇年前の話とされていますが、これを一万倍して三億年前に早おくりすれば、デボン紀にまさにネコザメだったのですから、古事記の伝承は大脳辺縁系の内臓脳、つまり腸で感得した事実だったのです。大和民族は我々の祖先がフカであったことを腸の内臓感覚で知っていたのです。これが腸の細胞が持っている生命記憶であり、腹の文化であり、腹切りがわが文化に根づいている背景にあるわが民族の感性、心の豊かさの由縁と思われます。

6　大脳の発達による快刺激の過剰な追求

生命体には、本来目的がありません。宇宙空間に浮いている地球上における、最も繊細な水溶性コロイド内の電気現象の反応が生命です。したがって、高等な生命体はその環境が一定していれば、行動様式を変えずに、五億年でも六億年でものんべんだらりと生き続けます。変化を好まないのです。出来るだけ新しい生き方をしたくないのです。そして最も適した状態にあるとき、生命体は、快もない不快もない状態にあります。つまり何も感じない状態です。手や足の存在が忘れられ、呼吸も空腹も感じない、身体のことを忘れる状態のことを憶の状態といいます。その憶の状態が目的を持たない生命体をつくっている細胞一粒一粒にとって最も好ましい快的な状態です。このときにリモデリングが行われます。このリモデリングの作業は細胞の一粒一粒が無上の悦びを持つときです。つまり生命をつくっている細胞は憶のぬるま湯状態が最も好ましいのです。

身体の動きをスポーツや車の運転で修得するときに、はじめは意識していますが、やがて無意識に出来るまで筋肉がそのリズムを覚えると「憶の状態に記す」といい、記憶が成立したといいます。記憶の本当の意味は、筋肉がリズムを覚えることで、これにより計測がはじまり、考えることが出来るようになるのです。新しい事件に出くわして、筋肉を新しく使うようになり、これを何度も繰り返すうちに、とっさに無意識に出来るようになる。これが記憶です。このとき、新しい考え方、つまり筋肉の動かし方が身についたのです。こうして筋肉の発達と交感神経をともなった血管の発生が、陸棲とともに飛躍して考える力が発生します。

原始型の生物、たとえば軟骨魚類のサメでは、脳と内臓にこれらを養う血管系がないのですが、上陸劇を境として大脳の錐体路系神経と交感神経と血管系が飛躍的に発生します。これらの発達が頂点に達しているのが人類です。大脳が発達しすぎ、視覚を中心とした映像文化が、この一〇年間で急速に進歩しました。そして刺激が過剰で、日常の生活の中で快もない不快もない、憶の状態の、いわゆるぬるま湯の状態が完璧に忘れられてしまいました。ヒトの一粒一粒すべての細胞にとって憶の状態というのは地球の引力による重力を解除した睡眠時や温泉浴（入浴）中です。このときに細胞が憶の状態となってリモデリングをして悦楽しているのです。

腸管内臓に宿る心の源となる財・名・色・食・睡の五欲は、三つの欲に収斂します。まず一つ目が食欲で、これが財欲・所有欲の源です。次が色欲で、名誉欲につながる性欲で征服欲でもあります。睡は、身体の体壁系内臓系を合わせたリモデリングの欲でスポーツの後の回復期の筋肉感覚にも通じる欲です。

性欲も本来、個体丸ごとのリモデリングの欲だったのです。したがって、生命活動の究極の悦楽として、これにはまると生命とひきかえにすべてを失うヒトがしばしば現れます。生殖行為にふけっているときは身体の一粒一粒の細胞がリモデリングの憶の状態の悦びにひたるのです。今日のヒトの性欲は、生殖とはほぼ完全に切り離されていて、生殖行為のときの快の追求が中心となっています。スポーツや宗教的な修行の鍛練も快の追求です。五〇〇万年ほどの蓄積による余った栄養で、人類は数十万年前から文明の成立とともに哺乳動物一般の年一〜二回の発情が、月経でわかるように月に一度の発情へと発達し、生殖の引き金が嗅覚から視覚へと変化しました。そして、今日の視覚映像文化の時代を迎えて人類は、見ることによる快の追求が性欲と直結して文明社会で問題化しています。

心や魂や霊が実体のある生命エネルギーであり、心の宿る内臓腸管系が特定された今日、本書に示したごとく「生命とは何か?」を深く考えて心の源をなす性欲とは何かを考えて、財・名・色・食・睡の五欲の円満なバランスのある生活を回復すべき「生き方」の新しい規範が必要となってきました。

生命とは、「エネルギーの渦の回転とともに自らリモデリングを求めるシステム」です。そしてこの本質が、最初の出発点の単細胞の原生動物の時代から細胞自体にそなわった本性として心となって持ち続けて、我々哺乳動物のヒトにまで受け継がれています。その心は主として腸管内臓に存在するのです。腸管が自らリモデリングを求めて、財・名・色・食・睡の五欲を持つのですから、我々にはこの五つのバランスを常に円満に保つように努めなければならないのです。そして他人の円満な五欲も認め合えば、すべてがこともなくうまくゆくのかも知れません。これが心と魂を持った最も進化の頂点をきわめながらも、幾多の構造欠陥をかかえたヒトの生き方のきまりなのかも知れません。

ヒトの持つ身体の五つの構造欠陥を正しく認識して、これを克服しなければなりません。また、質量のないエネルギーがいかに我々の生活に必要であるかを知り、誤った生命観を正すとともに、誤った医療を正さなければなりません。エネルギーの受け方を正して生き方を改めれば、二一世紀にはさし迫った危機を回避することが出来ます。それには生き方を変えなければなりません。

第五章　顔と心、身体《からだ》と精神

はじめに

この章は「顔と心、からだと精神」という視点で述べることになります。第四章までの系統発生学の成果を、この視点で改めて捉え直すことにもなりますので、重複がいろいろあることをご了解ください。

昔から顔は心を表すといわれてきました。心の源は腸管内臓平滑筋の動き、すなわちうねりの中にあります。つまり、腸や肺や心臓のわななきやうずきのなかにあるのです。

西洋が頭脳の文化といわれるのに対して、わが国は腹の腸の文化といわれるくらい、腹のうちが本心の心を表すものとされてきました。生命の源を腹においているのです。

生命体の本質は、エネルギーの渦の回転とともに起こるリモデリング（新陳代謝）です。これにより、エイジング（老化）を克服します。個体丸ごとのリモデリングが遺伝で、生殖を介します。したがって、生命体のきわみは、生殖にあります。

生殖は、自己の拡大再生産であり、生命個体の自己実現の究極です。人の文化活動における自己実現も実際には生殖活動にきわめて近似した精神的な自己の拡大再生産です。そして腹に自我と本心と心が宿り、自己の拡大再生産の生殖もその源の器官はすべて腹にあり、生殖行為もまた腹でするものです。

心が腸管内臓系にあるとすると、顔と心の関係はどうなるのでしょうか。顔は医学用語で内臓頭蓋と呼ばれています。なぜかというと、顔の骨格と筋肉は、実はもともとは「鰓の腸」という内臓器官で形づくられているからです。進化の過程で内臓骨格の軟骨と腸の平滑筋肉が、硬骨と横紋筋肉に変わってしまっていますが、由来はれっきとした内臓なのです。

顔の筋肉はすべて表情筋、咀嚼筋、耳小骨筋にいたるまで鰓の内臓筋に由来し、口の中の舌も鰓を動かす鰓腸の内臓平滑筋だったのです。牛タン（舌）を食べれば、モモ肉とはまったく違う味と歯ざわりですが、タンは心筋と同じ呼吸筋だったのです。

従来、舌はモモ肉と同じ体壁系の横紋筋に由来するとされていたのを、筆者がサメや両生類を多数解剖して呼吸筋であることを解明したのです。もともとこれらの筋肉は、ホヤの時代から存在する旧い大脳である内臓脳から出る錐体外路系の神経支配を受けていたものが、すべて進化の過程で大脳の錐体路系の神経支配をも受けることになります。つまり、横紋筋のように意志の力で動く筋肉に変容したのです。錐体路系は随意筋肉系で、大脳皮質から出る神経です。これが実は精神と思考を発生する神経・筋肉系なのです。したがって、顔は心と精神を同時に表します。この両者の合わさった表情を人はしばしば人格の現れと見ます。

顔は骨格を持った腸管で、骨格の外側に筋肉が出ているのです。この骨格は外力によって形が変わります。この変形の法則をウォルフの法則といいますが、簡単にいうと、骨は押せばへこみ、引っ張れば伸びるというものです。

現代の生命科学には重力作用が完璧に失念されています。重力にめざめてこの法則を導入すれば、顔の変形症の発症の謎がわけなく解明されます。しかしこの変形症の謎ですらも二〇世まで、どうして発症するのか皆目見当すらついていなかったことなのです。本章では、まず顔の機能、表情の解剖学、顔の変形症、変形症の治し方について述べます。その後、少し学問的になりますが、顔（顔面頭蓋）と心と精神と全身の器官との関係について述べていきます。

1　顔の機能

従来は、顔はまとまりのある一つの複合器官として考えられたことがありませんでした。重要な器官として認識されず、顔の機能や器官特性について考えた人がいなかったのです。「顔とは何か?」を考えるには、系統発生をたどってその器官の由来をたずねるのが最も確実です。これがゲーテの創始した形態学の手法で、つまり器官の特性解明には進化学に学ぶことが最も確かということです。顔の進化を逆にたどると、サメと円口類の頭鰓部に行き着き、さらにはその源が鰓孔《えらあな》のある口の嚢からなるムカシホヤの成体にたどり着きます。

　ホヤは、鰓孔付きの口の嚢で、この鰓部に造血巣と腎・副腎系、脳下垂体、心臓、腸管系から生殖系までがごちゃまぜとなった生命体その

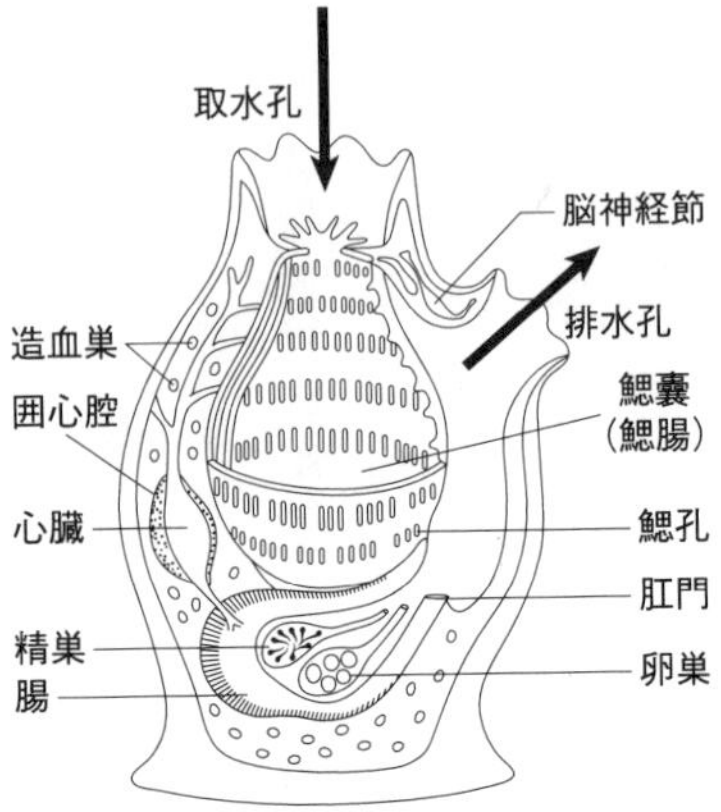

図V—1　ホヤのからだのつくり

もの の生命の袋といえます（図Ⅴ—1）。「肝腎要《かんじんかなめ》」ということばがありますが、肝臓よりも鰓のほうがはるかに生命の「要」といえるでしょう。ホヤが遺伝子重複して鎖サルパ型の数珠つなぎになったホヤが一個体として誕生して頭進すると一番目のホヤが顔となります（図Ⅲ—2）。ホヤの鰓の動きにつられて動いた脈管造血系が鰓腺に由来する心臓となります。ホヤの神経系は、嗅・視・平衡（重力）・鰓の脳と自律神経（副交感系のみ）からなります。捕食と生殖は、水棲では水にとけている化学物質に頼るから嗅覚が主導となります。つまり、生殖も鼻が引き金となっているのが脊椎動物の原型なのです。

鎖サルパ型の多体節ホヤの一個体の体制が、頭進（頭のある方向に向かって泳ぐこと）により棘魚類・円口類・軟骨魚類（サメ）に変わり、さらに上陸により両生類・爬虫類・哺乳類となります。

つまり顔とは、多体節ホヤの頭進により、原始型で顔、鰓、胸・腹部、尾部の四つに分化し、高等動物でさらに顔、首、胸部、腹部、尻の五つに分化したものの一つで、命を代表する器官ということができます。

生命は食と生殖の二相からなります。この二相の機能が顔に集約されています。哺乳類でも一般に、生殖の引き金は鼻が担当しています。ヤコブソン器（鼻孔にある嗅覚器の一種）

が生殖の機能効果器官なのです。

樹に登った霊長類は、嗅覚が衰え、ヒトではこれがことのほか顕著といえます。嗅覚に代わってヒトではヤコブソン器の代行を視覚が行っています。特に雄がこのように変化してきているのです。

脳は皮膚と同じ外胚葉から発生します。視覚の眼、嗅覚の鼻、聴覚の耳、味覚の舌、触覚の皮膚の神経も、つまり感覚器官のすべては脳の飛び出した器官なのです。

機能を中心とした視点からは、舌も触覚も視覚、聴覚、嗅覚も、脳にとってはすべてが等価です。犬では生殖の引き金はヤコブソン器の嗅覚ですが、人類ではこれが雄では視覚に移っていますので、女性の容姿容貌（特に顔）がその引き金となります。イスラム世界では、成人女性だけがチャドルをかぶるのはこのためです。多くの国で女性が口紅や白粉を塗り化粧をするのは、顔が生殖の効果器官のゆえかもしれません。トルコに顔の研究のフィールドワークに行ったときに観賞したイスラム風のストリップショーは、顔にベールを覆《かぶ》ったベリーダンス風のダンサーが、最後にこのベールを取り除いて顔を観客の前にさらすだけなのです。

雄の性の引き金が視覚主導であるのに対し、ヒトの雌では嗅覚や触覚、心（内臓感覚の現れ）が主導といわれています。一般に雌は原始型をよく保ちます。人体における顔の機能の最も高次で複雑で謎とされる部分が、生殖の引き金といったこの辺りにあり、同時に、精神生活の発露の器官としての顔の機能にあったのです。

生殖の引き金は元来、太古のホヤの嗅覚にありますが、サメの段階でも嗅覚は脳の飛び出したものです。これがヒトでは、脳から細い神経の糸が薄い篩《ふるい》板の頭蓋骨を通ってかすかに鼻腔の最上鼻甲介（ヒトの鼻を四つに分ける庇《ひさし》で嗅神経が分布する部分）あたりに分布しているほどに小さくなってしまっています。しかし嗅覚神経は最も古い脳神経として、唯一交差することなく、大脳の右は右、左は左側の鼻腔にそのまま下りてきます。このように嗅覚は、最も古くて重要な内臓腸管系の神経であり、外界の食と生殖環境のありさまを腸管内臓系に知らせるように、中枢部ですべての内臓器官とつながっていて、捕食と生殖系の腸管の動きと身体の動きとを連動させています。

免疫系とは「細胞レベルの消化・代謝・同化・異化・排出」であり、中胚葉系細胞の担当する生命過程の全域を指しますが、この観点から鼻の機能は、呼吸とホルモンの制御により免疫の本質的機能を影で支えていることがわかります。健康で美形になろうと思ったら、内臓を食と性の香りで活性化し、筋肉系を生き生きとさせる芳しい香りに満ち満ちとした生活

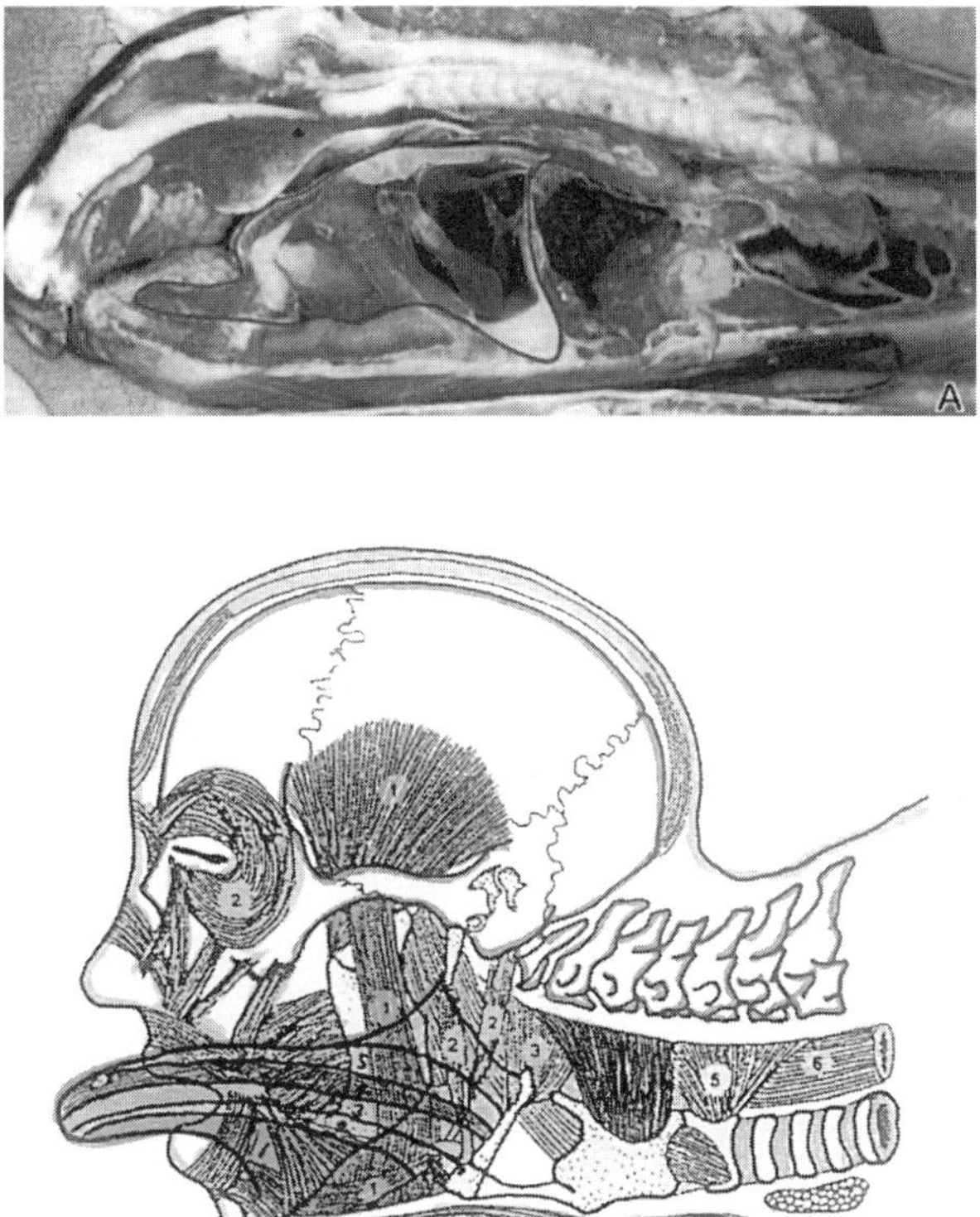

図V―2　ネコザメの鰓腸筋（心臓を含む舌の鰓弓筋）と変身したヒトの口と顔の筋肉（三木成夫改変）

動は体壁系筋肉感覚に由来します。もとより、内臓感覚は脳幹の毛様体を通って大脳辺縁系の内臓脳に入り情動の要をなします。この情動を核として精神神経活動が営まれます。魂とは腸管内臓系とその要の内臓脳と身体の体壁系の意識である精神脳とが一体となったもの、つまり、肉体と神経と心の三者の一体となった切っても切れない命そのものをいうのです。

鰓腸と鰓腺（平滑筋と造血巣）のなれの果てが、人類では顔と舌の筋肉と横隔膜の筋肉となり、同時にワルダイエルリンパ輪と胸腺（ともに白血球造血器）および肺と頸洞（もとは鰓で赤血球造血器）となります。鰓の呼吸筋を横隔膜以外は別の動きに使っている哺乳類は、体壁系の胸筋・広背筋・腹直筋・肛門挙筋を使って胸と腹腔をへこませたり膨らませたりして肺を動かして呼吸をしています。今では、呼吸と関連して表情筋など昔の鰓弓筋が動くのは、あくびとくしゃみと臨終の際の鼻翼呼吸（鼻翼を動かして肺呼吸の代用をすること）くらいしかありません。

しかし、今の体壁系呼吸筋群とは実によく連動します。喜怒哀楽の表明器が呼吸の腸の鰓腸ですから、陽の呼吸である笑いは、顔と腹・胸・肛門の筋肉（犬では尻尾をふる）を使います。このとき、鰓器関連の脳下垂体や副腎も喜んで陽の反応をします。したがって笑いには病を癒す力があるのです。

悲嘆は陰の呼吸で、胸をかきむしったり、断腸の思いに腹をよじったりしますが、副腎も当然、血行不良に陥り、病を呼び込むことになります。

3　顔の左右差と変形症

顔色を意味する「色」という字は、同時に色情をも表します。古代人は、大脳辺縁系で文字をつくりましたから、男女の交わりの形  から「色」という字ができ、同時にこの字に「顔」の意味をあてました。

生殖の機能・効果器官が、フェロモンの鼻から視覚性の「色」へと変容し、そのために無色であった情欲が色を帯びてきたのです。

ヒトが他の真獣類（有胎盤の哺乳類）と違うのは、さまざまな工夫で栄養物質と安全な睡眠を十分に確保した上に、なお余った栄養分と力を蓄える余裕を持つようになったことです。この余った力を用いて、ヒトは生命の躍動感を、個人に適した仕方で表現をします。これがヒト個有の文化活動です。子どもの時代は勉強やスポーツ、遊びと呼ばれ、成人に達すると仕事やレジャーと呼ばれます。この活動を通して、否応なくヒトは自己実現を図るのです。

この日々の自己実現のための第一歩が、男女に共通した朝の装いであり化粧です。

顔には左右差が出ますが、これは機能差によるものです。右利きの人の多くは、利き顎も右になります。つまり顔の左半分はうっとり顔（ブロイラー側）で副交感神経優位型、右半分が活動型（地鶏側）で交感神経優位型となっています。女性の写真や絵では、左側が多く描かれていますが、これは「うっとり顔」のためでしょう。洋の東西を問わず人類は右利きが多いのです。しかし、聖人の顔には左右差がありません。左右差はないほうがよいのです。

レオナルド・ダ・ヴィンチも右手で鏡面文字を書いて左右差を除いたらしいのです。左右差は芸術活動にも差し支えるのです。顔の秘密と謎が解明された今日、生活習慣の改善とトレーニングにより左右差を取り除き、健康の増進を図ることができます。

一日の自己実現は朝の化粧に始まり、ゆったりした風呂での洗顔や温水中の重力解除で、その日の自己実現が終わります。みちたりた睡眠による骨休めで一日が完結します。余った力がなくなるほどに無理をしていては、生命の躍動感もなくなります。正しい睡眠と正しいしつけによるゆったりとした食事で、左右差のない容姿容貌が支えられます。同時に健康の維持・回復・強化が図られ、充実した自己が日ごとに実現されます。その輝きが現れるのが顔なのです。

顔の左右差の起こるわけ

人類では、顎顔面の左右差が歴然とするのは皮骨が薄くなったホモサピエンスの時代からです。なぜかといえば、からだの運動の左右差による生体力学の影響が、骨に反映するほどに骨がきゃしゃにならなければ、形の変化として表れないからです。ネアンデルタール人の顎には、歴然と片噛みと片側を下にして眠る癖のあとが記憶されています。

有名な古代エジプトのネフェルティティの顎にも、古代ローマ人の顎にも、右側の利き顎の記憶がその形に残っています。また、レオナルド・ダ・ヴィンチの人体権衡図の右の顔と上膊（ひじから上の部分）にも、利き顎と利き腕が歴然と描写されています。

骨は機能の偏りで、その機能に適した形に変化する生体力学特性があります。これが一八八二年に臨床研究から提唱された経験則のウォルフの法則です。頻繁に機能させると、骨組織は、一般に縮小して密度が増加します。しかし、引っ張れば骨は伸びる。骨はそれ自体で動くシステムをもたないから、筋力の影響と骨に加わる外力は同等と見てよいのです。

顔の骨格の変形の原因となる外力は、「口腔とその周辺の習癖」として一括されます。この習癖には、①口呼吸、②片噛み、③横向き、あるいはうつ伏せ寝、④頬杖、⑤くいしばり、

⑥ショルダーバッグ、⑦楽器演奏、などがあります。これらのうち、口呼吸、片噛み、寝相の三つの癖で発生する外力で大半は顔がつぶれるのです。つぶれ方は均等でないから、当然左右差として認識されます。

これらの癖は互いに連鎖するから、生ずる変形はほぼ定型的となりますが、習癖を改めれば変形も矯正されます。なぜ連鎖するかといえば、ここにある顔の筋肉が、鰓腸の内臓平滑筋に由来し、蠕動運動の名残りがあって、これらの筋肉群が互いに連動するためです。

哺乳類を定義する唯一の特徴的な器官が、セメント質をもった関節（歯根膜）付きの異型性の釘植歯です。この歯は哺乳類のみに特有で、咀嚼には有効ですが、側方力と持続力を負担できない力学特性をもちます。咀嚼力の五〇〇分の一から二〇〇〇分の一の持続力と側方力で歯は沈み込んだり、横に動いてしまう。このとき、歯のみが動くのではなくて、顎骨の形も当然、徐々に変化します。癖で生ずる持続力と側方力で歯が動くのです。口呼吸では出っ歯（上顎前突）のほか、下顎前突や反対咬合（受け口）、開咬（奥歯を噛んでも前歯が合わない）になります。

哺乳類では口を陰圧にしないと嚥下できないシステムになっています。口呼吸では口唇を閉じる代わりに舌で歯列を塞ぎます。このとき、舌で圧迫する圧力が四〇グラムから七〇グラムあり、この舌の当たる位置で歯列のくずれ方が決まります。

一方、口呼吸は片噛みの癖を連鎖します。片噛みでは、噛む側が縮んで引き締まり、使わない側がたるみます。鶏でいえば地鶏顔（ひきしまっている）とブロイラー顔（たるんでいる）の関係といえるでしょう。この筋肉の偏りで頚椎と胸椎も側弯します。片噛みは寝相の癖を連鎖します。噛む側を下にする横向きかうつ伏せ寝が一般的であり、この寝相で歯列が強烈に歪み、背骨も曲がってしまいます。この寝相だと下側になった鼻腔は、静脈のうっ血のため、かならず塞がり、自然と口呼吸となります。つまり、連鎖が振り出しに戻るのです。こうして、三〇年、四〇年間ゆるんだ顔で口呼吸し、片噛みを続け、だらしなく寝ていると身も心も崩れて、よれよれのエビおばさん、エビおじさんになります。そうすると必ず重症の免疫症を発症します。骨の髄に免疫システムを担う赤血球・白血球の造血器官があり、口呼吸習慣で入ってくるバイ菌で変形している骨の髄が不顕性の感染を起こして免疫病が発病するのです。左右差、つまり変形は顔から全身の骨格のゆがみにまで影響します。

左右差の治し方

からだの左右差も顔の左右差も治し方の原理は同じで、顔を治せば徐々にからだの歪みも治るはずです。顔の習癖に連鎖してからだが歪むからです。顔の歪みの治し方自体は意外と簡単ですが、実際、顔の筋肉の使い方の矯正訓練をして直すとなると、内臓筋肉に由来する癖を改めることになるので、ことのほか難しいものです。

寝相・片噛み・口呼吸を同時に有効に矯正するには、まず決意が必要です。これからの生涯を健康に生きて行くために誤った身体の使い方を正すための決意です。それと同時に身体をつぶす三つの癖を正すための美（鼻）呼吸五点セットという生体力学デバイスで強引に身についてしまった悪い癖を治すのです。これには筆者の開発した鼻を高くして鼻呼吸にするノーズリフトという十八金でできたデバイスと、ダウンふわふわ枕と大人用のおしゃぶりブレストレーナーが極めて有効です。そのほか眠りながら綺麗になるための口唇テープと顔をスリムにする器具の五点セットで顔のむくみは一週間でとれ、浅黒い肌が白くなり肌荒れやアトピーが治り、喘息や気管支炎や間質性肺炎がうそのように治療方向に向かいます。

変形症の簡単な治し方は、まずガム療法を行って口呼吸と片噛みを同時に治し、寝相を並行して改めます。口呼吸では上唇と下唇が寸足らずとなっていますから、指で引っ張ってよく伸ばします。口角に指を入れて上下左右に引っ張って口輪筋をきたえます。ガムは、腰を立てて顎を引いて背すじを伸ばし口唇と尿道・肛門をしっかり閉ざして、強く噛むのではなくて顎を広く開閉してふわりと噛みます。そして片噛みの逆の歯列で噛む訓練を行い、同時に首を噛まない側へ曲げて伸ばします。日常生活でも食事中も常に姿勢を正し、顎を引いて舌骨を下げ、腹を吊り上げて横隔膜呼吸をし、からだがまっすぐになるようにときどき伸びをします。日頃から利き腕の逆の手をよくきたえます。ワープロ姿勢では、利き腕の肩が下がるから注意して左右差を取り除くようにからだを曲げて矯正します。

これにより顔の左右差も脊椎の左右差も解消します。寝るときはダウンふわふわ枕で、真上を向いて眠ります。睡眠時間を最低大人で八時間以上と十分にとり、骨休めをします。口呼吸のまま、十分な骨休めを怠ると免疫病を発症します。

4　顔と心と精神と全身の関係

顔面鰓弓筋の錐体路系支配の発生

我々の顔は生命を代表する複合器官であり、その源は鰓のある口の袋からなる原索動物のホヤです。

哺乳動物は、口腔・咽喉部の鰓腸が骨盤の部分まで間伸びした多体節動物で、口は内臓筋の鰓腸に由来する咀嚼筋が外骨格を覆い、顔も鰓腸筋由来の顔面表状筋で覆われています。

口の中心に存在する舌は、原始型の軟骨魚類では鰓弓筋と鰓弓軟骨の集合体で出来ており、その基部に心臓が位置しています。ほとんど動かないサメの舌は、第二革命の上陸劇を機に高等動物では、錐体路系（大脳運動神経）と交感神経の支配により、極めて微妙な動きをするようになるのです。ことにヒトでは舌が最も表現することのむずかしい心のありようや考え、思想や精神を語ることばの構音の中心器官となります。

第二革命の上陸で、交感神経が毛細血管の新生とともに発生し、同時に大脳から横隔膜筋を支配する錐体路系が誕生します。第三革命の哺乳類の誕生で、精神神経活動が発生すると、その究極においてヒトは話をすることになるのです。ヒトのヒトとしての最大の特徴がことばであり、これは舌と口腔の使い方の工夫によるものです。これで脳が飛躍的に発達します。

舌は原始型ではわずかにしか動かなかったのに、鰓弓軟骨の退縮と時を同じくして発生する交感神経とともに鰓弓筋の脳神経の12番の舌下神経によって動くようになります。顔面では内臓平滑筋の鰓弓筋が横紋筋になっているので、当然これらの筋肉が錐体外路系（大脳の原始的運動神経）と錐体路系の重複した支配を受けます。元来、自律性のある不随意筋の平滑筋からなる鰓腸の筋肉の一部が、半分は自由に動かせる随意筋の横紋筋になり、半分は咀嚼や嚥下時のごとく自働性を保つようになります。こうして原始大脳神経の錐体外路系と哺乳動物の大脳新皮質の錐体路系の二重支配を受けるのです。

顔と身体諸器官の関連性

キュビエの比較解剖学の「器官の相関の原理」と「従属の原理」をまつまでもなく、脊椎動物の個体を構成するすべての器官とその機能は互いに切っても切れない関係にあります。ヒトの生命を代表する総合器官の顔と身体諸器官の関連性を知るには、①顔と生殖系、②四肢と生殖系、③生殖系と病気、④顔と脳、⑤顔と心の心肺系、⑥顔と腹の腸管内臓系、⑦顔と体壁筋肉系の精神、の七点を研究すればよいことになります。

顔と生殖系

生命の本質がエネルギーの渦の回転と共に起こるリモデリングにあるのですから、これを支える腸管の機能、つまり呼吸と食べることが生命体にとって最も重要です。したがって呼吸と食物の入口である鼻と口、つまり内臓頭蓋の顔が生命にとって本質的器官ということになります。現に息の音が止まれば、命はおしまいだし、何も食べられなくなれば死んでしまうことになります。そして食べた物は、腸で消化吸収されてやがて血となり肉となりますが、余った栄養は時期が来ると脂肪細胞と血液細胞の一種の生殖細胞となって貯えられます。

生命体とは個体のリモデリングによるエイジングの克服ですから、生殖こそが生命にとって最も大切なものです。つまり腸の入り口の顔の源となっている口腔の機能は腸管を介して生命にとって最重要な生殖と直接結びついていることになります。

本来、無目的に生きるのが生命体ですが、単細胞で生きている原生動物の時代から、一粒の細胞の生命体はリモデリング（新陳代謝または生殖）に無上の悦びを感ずるように細胞の構造と機能がつくられていて、これが次代、次々代へと伝えられ、累代に及ぶよう記憶されています。それでプロカリオータ（バクテリア）にも性があり、単細胞の原核生物が好んで接合し生殖が行われます。遺伝物質が生命体の構造をつくる蛋白質や多糖類・リン脂質等の物質のつくり方を記憶するばかりでなく、その機能である特定の栄養物質や酸素・塩類等に対するケモタキシス（化学走行性——ある物質に向かってそれを取り込むべく進む）をも記憶しています。

このケモタキシスとは好き嫌いという機能、すなわちエネルギーの一つの形です。好き嫌いとはまさに心のはじまりですから、単細胞動物にはすでに心があるのです。したがって三〇億年前の原生動物の姿をいまだにとどめている我々の身体内にある白血球にも、当然、心があるのです。ただ、脊椎動物の進化の頂点を極めている哺乳動物には、おびただしい数に分化した細胞があり、骨や歯や神経細胞や筋肉細胞のように、あまりにも極端に偏った分化をすると、好き嫌いといった心の源となる機能がおうおうにしてなくなってしまいます。

そこで腸管上皮や精子・卵子・白血球や組織球（白血球から出来る間葉組織の細胞）のことを考えてみてください。これらが最も旧いタイプの細胞です。精子・卵子は最も古く核酸も減数分裂していてハプロイド（一重らせん）で原核生物に近いもので、精子の核にはミトコンドリアすらないのです。ミトコンドリアは精子の切りすてられる尾部にしかないほど旧い形をとどめているのです。この精子の細胞の持つ性欲（卵子を好む心）は強く、交接に際しては、一直線に卵子に向かって数億の精子が走り出します。また、卵子の精子を求める心もすさまじく強いものがあります。

ヒトでは、五〇〇粒の卵子が一生の間に用意されています。数百万年前ごろから栄養が安定して得られた結果と思われますが、発情が年二回の哺乳動物のきまりをはずして年に十二回、つまり一カ月に一度になってしまっています。一カ月ごとに子宮粘膜が受精のために厚く肥厚して、余った栄養から卵子が形成され、メクラウナギの場合と全く同様に腹腔で熟してくると、これが泳いで輸卵管を通って子宮に出てくるのです。そうすると卵子はいまかいまかとばかりに精子を待つのです。

男性では精子が精嚢に満ちあふれてくると、精嚢という鰓腸の嚢がうずいて蠕動運動をしたがるのです。精嚢に精子という細胞群が集合すると六〇兆でできている個体丸ごとをつき動かすのです。このとき鰓腸と個体の外界との窓口となるのが脳で、肛側の鰓腸が活躍します。鰓脳が作動すると、急に腹のあたりがモヤモヤして鰓脳の精神と思考と人の世の決まり事の倫理観やらが麻痺して、人が変わったようになります。多くの道を説く牧師や僧侶や学者や哲学者、文学者が、この精子という細胞の欲求ゆえに道を踏みはずして地獄に落ちます。

卵子のほうは、二八日ごとに腹腔を泳いで子宮に出てくるのですが、これは、本当に海の潮の満ち引きの名残りなのです。しかも多細胞動物の源の腸だけで生きている腔腸動物の生殖様式の名残りです。年に二回満潮のときにいっせいに卵子と精子を放出します。カンブリア紀以前の七、八億年前からの名残りが一般の哺乳類まで受けつがれています。

精子とちがって卵子は、ヒトでは栄養が満ちたりていれば定期的に二八日ごとに出てきて、ある年齢に達すると、卵子は無性に精子を欲するようになります。今日の我が国や米国のように性風俗とポルノグラフィーが野放しだと、小・中学生や高校生が性欲にめざめてしまい

が必要といえるでしょう。

2　表情の解剖学

次に表情、すなわち精神性と顔について述べましょう。

表情・咀嚼・嚥下・発声の諸筋群は、鰓弓筋に由来します（図V―2）。鰓器とは何かをここで考えてみましょう。鰓という字は「魚」に「田」と「心」を書きます。「田」はヒトやサルの頭を輪切りにした図で脳のことを表し、「心」は心臓で代表される腸管内臓器官のことを表します。心臓は、原初の鰓腸の律動運動につられて動いた脈管系の造血器です。心臓は腸管には従属的な存在です。これで見ると鰓器は、魚における脳の作用である精神と内臓腸管系の作用である心の統合された「思う」という生命の本質の魂の表明の器官ということになります。魚は鰓で喜怒哀楽の心を表すのです。

漢字をつくった古代人は、生き物を実に的確に内臓脳の大脳辺縁系で観察していました。元来、心と精神は洋の東西を問わず、別に扱われていました。最近、医学と生物学が混乱して、このあたりがごちゃまぜになってしまいましたが、心は内臓腸管感覚に由来し、精神活ます。今や老若男女にかかわりなく、生殖行動のとりこになっているのが日本とアメリカです。

カンブリア紀に発生した生きた化石、ラムペトラ（ヤツメウナギ）は、岩に吸いついて、つがいで並んで生殖をとげると間もなく、全身の細胞に急激な老化が起こりアポトーシス（細胞の遺伝子に組み込まれた死のプログラム）によって、死への遺伝子の引き金が引かれます。古代ヤツメの誕生後、五億年になんなんとする脊椎動物の力学対応の進化のど真中をかけぬけた人類も、今日の生殖行為では強力に口唇を吸引し合います。顔の筋肉は、鰓腸の筋肉が皮骨に由来する顎や顔をつくる頭蓋骨の外側にとび出した（脱口した＝三木成夫）内臓筋肉であり、生殖器の睾丸と外陰唇もまた鰓腸の生殖系内臓腸管部分の筋肉が外胚葉の皮下組織にまでとび出した、平滑筋で覆われています。それでこの部分はわけもなくゆっくりと動いているのです。そして交接の時には個体丸ごとのリモデリングの源となる腸管の入り口と出口とが互いに離れることのないように口唇と陰唇を強く深く求め合うのです。

また、生殖がこじれると何も死ななくてもよいのに情死を選ぶのも、五億年前の古代ヤツメの生命の基本プログラムが作動するためかもしれません。生命の本質はリモデリングの行動つまり生殖行為にありますから、生の本質をはたした後に世間のしがらみがこじれると、ヒトは死を選ぶのかもしれません。

霊長類では生殖の引き金が鋤鼻器（フェロモンの嗅受容器＝ヤコブソン器）から視覚に移っています。今日、ヒトではポルノグラフィーが世界中で制御を失っています。ことにアメリカ大統領のケネディからクリントンに至る性行動の乱れは、キリスト教社会の性行動の規範の完全な喪失を意味しているものと思われます。生命進化に則った新しい規範の下にヒトの生殖行動を離れた性欲のコントロールを確立しなければならないときが来ています。

顔の研究のフィールドワークでおとずれたトルコのローマ時代の遺跡エフェソスのハドリアヌス神殿では、そびえたつ図書館の向かいに大浴場があり、大きな椅子式の大理石のトイレがずらりと並んでおり、その大浴場の傍らに大きな遊郭のような娼婦の館が構えられ、セットになっています。生殖行為と図書館での精神活動がローマ時代ではセットになっていたのです。生殖行為が個体丸ごとのリモデリングつまり個体の再生と拡大再生産であり、ヒトのみの持つ文化活動は精神的創造性すなわち自己実現で、ものを生み出すという点で極めて生殖行動に近い欲求なのです。文章家や画家は、男性女性を問わず、良い作品が完成した時に感ずる悦びが、最良の生殖行為のときに感ずるからだのすべての細胞が喜悦する満足感と同じだと言っています。図書館における思考活動が究極の自己実現すなわち、精神的な自己の拡大再生産です。そこは両者がきわめて近似した生命個体としての内臓脳と体壁脳の一体となった活動の場なのです。

泌尿・生殖器官が、鰓と肺の外呼吸と栄養吸収の腸の仕事と細胞呼吸・ミトコンドリアのエネルギー代謝の仲立ちをする仕組みであることを述べました。生命の源の腸で吸収した酸素と栄養分をうまく料理して細胞をつくり替え、脂肪にして、古いものをこわして、尿にして余った栄養の脂肪を精子と卵子にするのですから、尿と生殖細胞は、生命体にとっては等価、すなわちきれいとか、きたないとかの区別はもともとないのです。そしてホヤの時代には口と肛門は袋の上端の同じレベルに存在し、精子も卵子も総排出孔つまり肛門一つから出たのです。これは原始形から鳥類や爬虫類にもうけつがれています。性欲は生殖器官の接触と蠕動運動の刺激を受けるのが基本です。

ヒトの赤ちゃんも、生後ヒトの子として一応完成する二歳半までは、哺乳類型の爬虫類を経て哺乳動物として完成します。本当に解剖学的にヒトとして生長が完了するのは二四歳です。それまでは、系統発生の様々な段階を年齢を前後しながらたどって生長します。幼児期から少年期・少女期の十歳ごろまでにかけては、性欲は、肛門に集中します。総排泄孔といわれたころには肛門が生殖器と産道であったので、系統発生の大道の真ん中をたどった人類の肛門にも当然性感帯が存在します。

ここで尾籠《びろう》な話と変態について医学的に考えてみましょう。変態といわれる政治家が、愛人に尿を飲ませたとか飲んだとかさわがれましたが、血液を介して出来る六〇兆個の細胞の廃棄物の尿と余った栄養の精子や卵子は生命体にとって等しいもので、きれい・きたないはもともとないのです。そして病気でなければ、精液も尿も無菌的できれいなのです。政治家の肩を持つわけではありませんが、民間療法で医師が病人自身の尿を相当に水でうすめて当人に飲ませる尿療法をやっても医師法違反にはならないのです。

原始脊椎動物のサメや水棲動物の鯨やアシカの哺乳動物について考えてみましょう。水中で彼らは自分の尿や便のうすまったのを飲んで彼らはすでにフン尿療法をやっています。もしかしたら尿療法の医者が言っているように尿の微量成分がからだにフィードバックして本当に効くのかもしれません。ただしこれは自分の尿ですから、政治家の尿を飲む愛人の場合はからだにいいか悪いかわかりません。

先に顔と生殖器は視覚によって生殖行動の引き金になることを述べましたが、顔も外性器ももともと鰓腸の栄養取り込みと栄養の代謝物の排出のシステムで、根は一つなのです。鰓脳と鰓脳に支配され、つまり腸の入り口と出口が実は腸の本義（本当の仕事）の生殖の器官なのです。外性器と肛門は感覚器官が性の分泌腺と皮膚の感覚受容器しかありません。したがって蠕動運動による触覚のみを感知します。それに対して口を中心とする鰓腸には眼も鼻も舌も耳も皮膚もあります。

すべての民が法皇の奴隷となってしまったキリスト教社会が出現するまでのギリシャ・ローマ時代は、実におおらかで、生命進化の流れに逆らうことはほとんどなかったのでしょう。宗教の「悟り」ももともと、「生命とは何か?」を最高度に体得したことを指すので、本来の人の子イエスの教えは、ヒトの生命進化に逆らうはずのものではなく、おおらかなものであったはずです。

しかし二〇〇〇年前の宇宙理解と今のそれとはあまりにも隔たりがあり、多くのことが解明されています。生命理解も新しい宇宙の構成則に従って改変していかなければなりません。それはとりもなおさず、キリスト教以前のギリシャ・ローマ時代の流れと、言霊《ことだま》のさきわう国の生命謳歌の勾《まがたま》(真の玉=真の霊(魂))の思想の融合した、明るく輝かしい生命の躍動する二一世紀です。生命を季節や年齢のリズムと同調させ、正しい系統発生に根ざした生殖リズムの回復が望まれます。

四肢と生殖系

鰓腸の入り口が口で、口を中心に顔が出来ています。上肢は鰓の取り込みの補助器官で下肢は鰓で取り込んだ栄養のなれのはてを排出する装置で、由来はやはり鰓の補助器官ですから鰭《ひれ》の軟骨が腕と脚の原器です。脚は生殖器の補助装置としてお産や性交時に機能します。男女ともに脚を見ているだけで性的に興奮する人がいます。脚だけを使う球技がサッカーです。ワールドカップでは、世界中の男女が興奮しました。ボールを相手のゴールに足だけで蹴って入れるせめぎあいの人の動きが、もしかしたら陰門と卵子をめざして走る精子に似ているのかもしれません。しかも生殖の補助器の脚を中心にして行う唯一の球技です。それで日本中の男女がサポーターとなって興奮したのでしょうか。

脚が生殖の補助装置の根拠を少し示します。女性に初潮があるように、男性にも中学一年ごろに自然に、精液が眠っている間に女性の夢とともに出ます。これが夢精です。このとき夢から覚めて、腰が抜けたようになって脚が麻痺して、とっさに歩けなくなるのです。何も知らない真面目人間は、それはもう大変な病気になったのかと思って、しばらくしてトイレに駆け込んで、不思議に思っているうちにまた戻って眠ってしまいます。しばらくすると、また精液が腸管の一部の前立腺に貯ってくると、これがうずいて鰓脳が夢で生命記憶をよび起こして視覚のイメージで射精します。それまで女性のことなど考えなかった真面目中学生の夢に、漠然と女性の生殖器の形（モルフォロジー）が、蘭の花のイメージで現れるのですから、本書の主題のクレア・シルビアが夢でドナーの男性の姿形から名前から食物の好みから、ドナーの好みの女性のタイプまですべてわかってしまうのと同様に、すべてを腸の細胞が覚えているのです。

嗅覚と心

脳神経の一番目の嗅覚は、水中では味覚に近似しており、従って食べるシステムの口の一部であることは言うまでもありません。嗅覚は系統発生的に最も旧い脳神経であり、一二対のうち左右の脳から出て交叉しない唯一の脳神経です。腸管捕食とともに始まる鰓呼吸（腸管呼吸）が成立するホヤのステージ、つまり進化の革命の揺籃期に脳の一部の最先端が食物の入り口にとどまって残ります。嗅覚神経は、脳脊髄において内臓腸管系と体壁系のすべての器官と神経性に連繋を持ち、ホルモン分泌と筋肉の動きを制御します。脊椎動物の源において、感動のはじまりはほとんど嗅覚がすべてなのです。感動の源は腸管（口腸）が食物と生殖の場を求めて口と鰓を移動させるべく体壁筋を動かすことだからです。顔の源となる口と鰓の腸に呼吸・栄養の吸収と余った栄養の造血と生殖のたまり（うつわ＝器）が存在し、生命個体を腸管の求めに従ってパイロットするのが嗅覚です。嗅覚によって動く筋肉は、すべて旧い脳脊髄神経によるものですから、副交感神経系と錐体外路系です。

さつきまつ花橘の香をかげば昔の人のそでの香ぞする　（詠み人知らず）
椎の花　ひともすさめぬにおいかな　（蕪村）
旅人の　こころにも似よ　椎の花　（芭蕉）

花の香がすぐに生殖系の感覚に結びつくのは、嗅覚が呼吸・摂食・生殖という脊椎動物の生命の基本を制御する筋肉・神経系の錐体外路系に直結するためです。生涯を旅で過ごした西行と芭蕉があちこち動き回った理由は、腸管のやむことのなかった生殖系と食の二相を追求する心だったのでしょう。アロマテラピーが有効なのも、副交感神経刺激によりホルモン分泌を介して白血球の消化力を増加させるからです。

呼吸のリズムと波のリズム

脊椎動物の生命は、個体発生も系統発生もともに腸にはじまります。腸が生命の源ですから、腸が生きているかぎり生命の死はあり得ません。

外皮と腸からパラニューロンとニューロンが分離し、これが口肛の周囲に発達し口側の鰓脳と肛側の鰓脳になります。二つの副交感神経の中心の一つが呼吸・消化・造血の腸の脳となり、もう一方が余った栄養物質＝生殖細胞と血液の老廃浸透液の泌尿と食物消化の残渣のたまりを制御する肛側の脳となります。この間が腸脳となります。

心臓と肺は鰓腸の鰓腺に由来するから、心肺が胸の腸で、ここに心が宿るのです。内臓のときめきやうずきを表す心臓では「胸が高鳴る」とか「胸がうきうきする」とか「胸がわくわくする」「心が浮き立つ」、「志を胸に抱く」というように喜びを表し、「胸がはりさける」とか「胸が押しつぶされる」、「心が痛む」、「胸がかきむしられる」、「胸苦しい」、「胸騒ぎ」というように悲しみや苦しみを表しているのです。

腸と心臓のうずきには、喜怒哀楽の対象が異なることが明らかです。心は、心臓で代表される胸の内臓腸管系に宿るのです。真っ暗闇の腸に自我の心が宿ります。

今日、心が脳に存在すると考えている学者が多いのですが、洋の東西を問わず、心は心臓や腹にあるとされていました。

生命のエネルギーの渦の回転も鰓腸の蠕動運動という回転運動に極めて近い波動運動です。この最初の脊椎動物という高等な多細胞生命体の生命のエネルギーの渦の回転はどんな力によって動かされたのでしょうか？　実はこれが海の中の波の動きなのです。これがヒドラ（腔腸動物）やフサカツギやコケムシ類（翼鰓類）の呼吸運動の源となっているのです。ヒトでもくたばって気絶しているときにゆり動かすと、はっと目がさめるのも実は呼吸の大元が波のゆらぎ運動にあったのです。この波の寄せては返す反復運動が体壁筋と腸管内臓筋の中間の哺乳動物の心筋のような筋肉によって記憶され、次いでこれが心臓の動きに記憶されます。それで呼吸のリズムと波のリズムが一致しているのです（三木成夫）。

生命のエネルギーの渦の回転は、無目的であると述べましたが、本当にそうでしょうか？リモデリングするときに無上の悦びが発生するように、エンジンが核酸と蛋白質・糖類・リン脂質等でつくられているとすると、細胞一粒の原生動物でも多細胞動物でも、リモデリンしたがって、細胞自身が再生して元気になりたがっているはずです。ヒトを含めた動物がくたびれると自然に眠って休むのは、このためです。赤ちゃんでも大人でも、休んで生長・発育したりリモデリングするときにゆりかごのような波のゆらぎ運動が大変重要なのは、呼吸の大もとが波の動きにあるためです。波の動きで呼吸と栄養の摂取と消化吸収が行われ、潮の満ち引き（月の引力）の周期で生殖が行われるのが動物の原形です。つまり虫や哺乳動物の生殖行動の蠕動運動ももとはといえば波の動きなのです。

「潮騒」という三島由紀夫の小説があります。彼は確かに感受性が豊かで、波の音を聞いているだけで、生殖欲を催してくるのですが、これが脊椎動物の五億年の根深い生命の根源的なシステムに由来することは、三島でも知る由もなかったはずです。人間は一年中発情していますから、波の音を聞くだけで心が騒ぐのです。一般の動物は、月の引力と季節でホルモンによって制御されて、個体丸ごとのリモデリンの生殖の発情が、およそ年二回だけ作動するように生命機械がプログラムされています。年に二回、生命個体を形作っている細胞全体が波の中で無上の悦びを感ずるのです。多くの動物の生殖の引き金が嗅覚のにおいに関係する化学物質（フェロモン）によって引かれます。このフェロモンの分泌が季節や月の引力で制御されているのです。

口・顎と腸管内臓系

芭蕉の句に「おもしろうて、やがて悲しき鵜舟かな」というのがあります。これは、アユを嚥下する鵜の尋常な生命活動の運動を、首を縛って堰き止めて面白がるヒトの残酷さを、ふと我に返って恥じている句です。

喉元を過ぎれば真っ暗闇の腸が始まります。腹の内は温熱刺激も劇薬の作用も感じられません。真っ暗闇の腸、つまりハラの腸に自我が宿るのです。どんなに愛し合っていても、互いに極端に空腹だと、愛で心を満たすことができません。口から入る質量のある水溶性の栄養物が充分に消化され、余った栄養の生殖物質が充分に満ちていないと、自我の欲を満たすことはできないのが脊椎動物なのです。

脳は腸から始まるにすぎないので、腸には従属的です。従って腸の要求をなんとか実現するようにしか脳は機能しないのです。財産争いも色情も名誉欲も、理性、すなわち脳の体壁筋肉システムの計算と精神・思考で制御できないのは、腸管内臓に宿る五欲というものが系統発生五億年の自我の生命記憶をひきずっている欲求だからです。

顔と口は、鰓腸のなれのはての鰓呼吸内臓筋に、交感神経と錐体路系の神経支配が重層したものです。表情は、よく内臓の機能の心と体壁の機能の精神を表します。眼は、咀嚼器の一部ですから、眼もよく心と精神の両方を表現します。ことばも心と精神をリズムにのせて表現しています。

脊椎動物では、口は摂食・咀嚼にのみ使うようにしかプログラムされていないので、あまりに多くを語り、口で呼吸すると、第二鰓腺由来のワルダイエル扁桃リンパ輪（腸扁桃の一種で白血球造血器）がやられてしまいます。哺乳動物でこの扁桃リンパ輪が著しく発達しているのはヒトのみです。犬も猫もねずみも馬も牛もうさぎも、これはほとんどわからないくらい小さく痕跡程度です。原始型のサメと硬骨魚類は第二鰓腺がこれに相当するので極端に発達した造血器となっています。ヒトと魚類だけに発達しているのは、ともに口呼吸をするからです。

リモデリングを支える物質とエネルギーを供給するのが、食物の栄養と呼吸による酸素です。口で咀嚼される食物は、腸管を経て血液とその一種の生殖細胞に変換されます。腸管の造血には充分な咀嚼が必須です。したがって充分な咀嚼と正しい鼻呼吸が健康な生殖活動の源ということになります。つまり生命の本質は食物の咀嚼を中心とした口腔と鼻腔の呼吸機能、内臓頭蓋の機能にあるということです。

生殖巣とは造血器の一種であり、ナメクジウオでは鰓腸に造血器と腎・生殖巣が存在します。腎臓は筋肉で生ずる老廃排出のシステムであり、間葉上皮系（中胚葉上皮）の鰓器造血装置の一種です。つまり腎・生殖巣は、呼吸系の造血器の一部を構成するものが、頭進により重力作用による慣性の法則で、肛側に移動したものです。咬合が不調のせいで、鼻でなく口で呼吸すると、泌尿生殖系の感染が好発するのはこのためだといえるでしょう。女性では膀胱炎・生理不順・生理痛・子宮内膜症・不妊症、男性では前立腺炎や膀胱炎、精子減少症が発症する場合があります。噛み合わせを回復し鼻呼吸を復活させれば、これらの疾患が治る例が多く見られます。

心は腸管内臓系にその源があり、これらの内臓筋肉と共役関係にあるのが内臓脳、すなわち大脳辺縁系と海馬と視床・視床下部で、ここに腸管のありようをキャッチするニューロンがあります。腸管がうずくと、人恋しく胸苦しくなるのはこのためです。

顔と体壁筋肉系の精神

第二革命の上陸を機に、重力作用が六倍になり生活媒体が水から水の千分の一の重量の空気に変わり、酸素の含量が三〇倍に増えると、サメが水を求めてのたうち回って血圧が上昇し、重力作用にさからって生きていかれるようになります。筋肉が飛躍的に活発に動いて、同時に体内のあらゆる組織と器官の細胞呼吸が活性化します。特に動きのはげしい筋肉細胞が多量の酸素を要求して血管を誘導するサイトカインが細胞から分泌されると考えられます。

その結果、血管の誘導が起こるのです。新生した血管に血管運動神経として中胚葉性の交感神経系が発生します。それまで心臓・脳・消化管のあらゆる器官に、これを養う栄養血管がなかった原始脊椎動物のこれらの器官に栄養血管が発生し、同時に脳や心臓・腸管内臓系が交感神経と副交感神経の二重支配を受けるようになります。筋肉というのは神経の機能器官です。知覚される（体壁系）、されない（内臓系）にかかわらず、求心性神経（感覚器からの興奮を中枢に伝える神経）が中枢に情報を伝えると、これに基づいて中枢神経核に電位が発生し、遠心性（運動）神経系に情報を発し、筋肉を動かします。

副交感神経の口肛の二極化が完成してから、上陸で体壁筋肉運動系が飛躍的に発達すると、交感神経が発生し、脳と内臓器官と心臓が外界の刺激に対して反応するようになります。こわいとちぢみ上がりストレスを感じたり、外界の出来事で胸がときめいたり胸さわぎが、心肺で感じられるようになるのです。交感神経の発生により錐体路系の脳運動神経が発生すると、呼吸と解糖系（酸素を必要としない生体反応過程で、グリコーゲンを乳酸にまで分解すること）のエネルギー代謝も飛躍し、ここに変温動物から恒温動物への変化が起こり、温血動物が誕生します。同時に徐々に意志の力で舌や手（ヒレ）や足（ヒレ）を動かすことができるようになるのです。

交感神経系・錐体路系の発生と温血化

思考と精神の源は、意外なことに背筋で代表される体壁筋肉系の錐体路系のリズム運動に存在していたのです。もとより、原始脊椎動物の源のホヤの時代から存在する腸管に付属する内臓筋と一体となっている体壁系の古い筋肉（横紋筋と平滑筋の中間）を支配する錐体外路系の健全な存在が精神神経活動には必須です。内臓とともに動く体壁筋は呼吸・摂食・生殖・睡眠と休養時姿勢で動く筋肉です。

頭脳労働にも、呼吸と同調した筋肉のリズム運動を導入する必要があります。これには大脳辺縁系の古皮質の体壁系の錐体外路系の健康なうちを必須とするのです。

精神と思考の発生

上陸して筋肉運動が飛躍的に増大すると、交感神経と錐体路系が発生するのですが、そうすると体中がリズムを求めて動き出すのです。腸管内臓系の要求に従って体壁筋肉系がリズム運動をします。

ヒトに至ると手の幅、足の幅でリズムが記憶され、計測がはじまります。これが数のはじまりであり、思考と精神活動のはじまりなのです。つまり、腸管内臓系の要求を実現させるのが体壁系筋肉のリズム運動であり、これをどのように動かすか計画するのが、考えることのはじまりです。思考と精神の発生がここにあるといえます。

原始型のサメで考えてみましょう。腸の要求に従って、食物と生殖の場をパラニューロンの眼、鼻、耳、触覚を使って探します。これが「感じて動く」はじまりで、感動つまり心のはじまりでもあります。えさを見つけると、距離を目測します。これが「考える」はじまりで、目測はヒレの動きに換算されるのです。

精神と思考は、我々の体壁系筋肉システムに存在したのです。脊椎動物は、身体の動かし方を記憶しやすくできています。特に哺乳動物においてはこれが顕著で、これにより記憶が成立します。無意識で身体を動かせるまで覚えることを身体が覚えるといい、憶に記すつまり記憶といいます。憶とは快も不快もない世界のことで、反射運動の世界、つまり錐体外路系の筋肉システムで動く無意識の状態をいいます。

ことばは、実際に大声で何度も繰り返し舌と声と口を使わないと覚えられません。漢字やスペルを覚えようと思ったら、書いて練習しないとだめなのです。上腕と手を構成するすべての筋肉が、手によって描き出されるリズムとカーブを総体として覚えるのです。

音色と音調とリズムを、筋肉のリズムと楽器の位置や間隔に関連させられるヒトが器楽の奏者です。色調と線と空間のリズムを、筋肉運動に変換するのが得意なヒトが画家になります。こうしてそれぞれに声楽家、作曲家、彫刻家、版画家、舞踊家等の芸術家が生まれるわけです。

こわれた物や身体を見て、こわれ方からこわれる原因やその法則性を掴み、それを除いて手あてをして治すのが得意なヒトが機械修理工や医者に向いているのです。

動く舌と錐体路系の発生

舌がよく動くようになるのは、上陸による鰓腸の退縮にともなう鰓弓軟骨の縮小によります。肺呼吸の習熟にともなう鰓の律動運動の消退で、鰓筋と鰓弓の集合体の舌から鰓弓軟骨が退縮して一つの舌骨となると、骨格から開放された鰓腸筋からなる舌が動き出すのです。これは交感神経と錐体路系の発生と機を一にしていますから、舌は体壁横紋筋の特性である、意志によってつくられるリズム運動にともなって発達する大脳皮質運動野の神経細胞の飛躍的増加をもたらします。これも用不用の法則の用によるものです。

この時点で、鰓弓筋由来の咀嚼筋・表情筋・嚥下筋・発声筋は耳小骨筋を除いてすべて、体壁系の意志でも動く筋肉に変容します。

精神・思考活動は、副交感神経・錐体外路系のみで生きていた原始型時代の鰓腸の摂食・呼吸と消化・生殖の基本体制を支える鰓腸・鯡腸系の筋肉に体壁運動系・錐体路系の機能が重層することにより、これらの筋群のリズム運動によって発生します。

鰓腸部分では、顔面表情筋・舌筋・頸筋群の協同作用で習得される「ことば」という呼吸と同調したリズム運動によって、精神・思考活動が飛躍的に発達して人類が誕生しました。ことばは呼吸と摂食・咀嚼という内臓頭蓋の蠕動運動で機能する筋群のリズム運動を交感神経系・錐体路系の思考表明の音声レベルのリズムに流用したものです。

初期の吸啜《きゅうせつ》（おちちを吸うこと）の習得に失敗した乳児は、小児科医の診察で全く異常所見がなくても、話すことも考えることもうまくできなくなることがしばしばあります。一定の早い時期に吸啜で生じる舌と頬部・喉部の一連の蠕動運動の習得に失敗すると、脳のニューロン（神経細胞）がうまく発達できなくて、ことばのみならず思考能力までもが発達しなくなるのです。神経の発生と分化と機能発達には鰓腸筋の動きが必須なのです。

5　武士道と腹

腹の文化

文明開化の明治開国を迎えて、西洋文明導入の際、じばしば望まれたのが和魂洋才です。魂とは本質の心のことなので、日本の心で洋式の精神の産物である社会システムをわが国の文化に輸入、同化しようという考えです。

明治時代の日本の叡智を代表する新渡戸稲造は、宗教教育がほとんど行われないわが国の国民が非常に高い倫理観に基づいた行動規範を持つ原因を考察し、「武士道」にその源を見出しました。かつてベルギーの法律学者ド・ラヴレーが「日本の学校では宗教教育があるのか」と新渡戸に問い、「ない」と答えたところ、「ではどのようにして宗教教育がほどこされるのか」と聞かれたことに端を発しています。

また、彼の夫人マリー・ペーターソン・エルキントン・ニトベ（一八九一年に新渡戸と結婚）がしばしば「日本ではなぜこのような考え方や習慣が行われるのですか」と問う理由に対する答えでもあったのです。

新渡戸稲造は『武士道——日本のこころ　日本思想の解明』〝Bushido : The Soul of Japan〟で、心や魂が腹部に宿ることを旧約聖書を引用して述べ　武士道における切腹の正当性を示しています。彼は自殺をご法度とするクリスチャンですが、切腹による武人の身の処し方を最高度の精神性をともなう自制を必要とする誇り高い作法として賞賛するのです。切腹は誇り高い武人が自己実現に失敗したときの身の処し方の作法に源を発します。腸管内臓系の腹に自己の本態の自我が宿り、すべての欲が生命の根源の腸から発することを知っていたからです。

腹の腸のありようは内臓脳に情報が達して情念（心）として意識のレベルにまで上ってきません。腹の腸は真っ暗闇なのです。大和ことばは大脳辺縁系の内臓脳でつくられたと思われるほど、真実をついているものが多くあります。いのちと腹の関係も大和ことばほど系統発生学的に真実をついたことばはほかにありません。わが国では古来から腹に魂と心が宿り、自我の源が腹にあると信じられてきました。生命が宿ることを「孕む」というように、腹の動詞まであります。

わが国では、すべての動物の胎児が同じ形をしていることから、腹に宿る胎児を生命の魂の象徴である勾玉として皇祖皇宗のおまもり（三種の神器の一つ）としています。この勾玉の宿るところが魂の宿る孕《はら》の子宮なのです。
実現可能な望みが挫折したときには、内臓、特に腸と心臓がうずきます。これは五欲の源が腹にあるからです。わが国の武将が自己実現に失敗したと悟ったときに腹を切るのは、切らないとおさまらないほどに五臓六腑が煮えくり返るからです。ことに怒りがおさまらないときには、腹を切っても介錯させないのです。腸までさばいても八時間くらい生きていますが、その断腸の苦しみの中で怒りがおさまるのです。悔しいと「腸が煮えくり返り」、やられれば「腹の虫がおさまらない」のです。

セップクが私たちの思いの中では、およそ不合理の痕跡さえ失うのは、単に外国のものとの連想のゆえではない。というのは、とくに体のこの部分を選んで事を働くのは、魂と感情の座についての昔の解剖学的信念に基づいてのことだからである。モーセが、ヨセフの「腸《はらわた》がその弟のことを恋い慕う」と書いたり、ダビデが、〈主〉に彼の腸を忘れたまうなと祈ったり、はたまた、イザヤ、エレミヤや霊を受けた昔の他の人たちが、腸が「鳴る」とか「いたむ」とか語るとき、彼らはみな、日本人の間に行きわたっている信念――腹にこそ魂は宿る――を強く主張していたのである。〔セム族は習慣的に、肝臓、腎臓およびその周辺の脂肪を、感情と生命の座だと語っていた。〕「ハラ」ということばは、ギリシャ語の「フレーン」（筆者注：横隔膜、思い）とか「テューモス」（筆者注：怒り）よりも、もっと広い意味のことばで、日本人もギリシャ人もともに、人間の霊はどこかそのあたりに宿ると考えたのである。〔そういう考えは、決して古代民族に限ったことではない。フランス人は、彼らの最もすぐれた哲学者の一人であるデカルトが、魂は松果腺に宿ると提案したのにもかかわらず、今なお、ヴァントル（筆者注：腹部、胎内）ということばを、解剖学的にはあまりに漠としすぎだが、生理学上は有意義な意味で使うことを主張している。同様にアントラーユ（筆者注：胃、情）ということばは、フランス語では、愛情と同情を表わしている。〕（中略）

セップクが単なる自殺行為ではなかったことを、もう読者はおわかりであろう。切腹は法的かつ儀式的な一つの制度であった。中世に作られたものとして、切腹は、武士がその罪滅しをし、誤りを詫び、恥をまぬがれ、その友を救う犠牲となり、自分の誠を証明する行動であった。法律上の罰として強制されるさいには、切腹はそれ相応の儀式で執り行われた。それは自殺の洗練であって、誰一人、心の極度の冷静、行動の平静なしには行うことはできなかった。そして、これらの理由で、切腹は武士の職分にとくにふ

さわしかった。(『武士道』新渡戸稲造著、佐藤全弘訳、教文館)

腹のことばは他に、「腹が立つ」「腹いせ」「腹を割って話す」「腹黒い」「腹で動かす」「腹を探る」「腹芸」などがあります。腹は心や本心、意志を表すことばではあるものの、よい意味では使われません。これは情念を伴う自我とかかわることがらに関するものだからでしょう。

腹は自我(自分自身の存在)と情念にまつわるものであり、自己実現は精神的な自我の拡大再生産です。自己の身体の拡大再生産が生殖であり、これが腹に宿るのです。生殖は腹でするものであり、自己実現の源、自我もまた腹にあるのです。

切腹は、わが国独得の武人の身の処し方の作法であり、魂が腹に宿るとする不動の信念に基づくことが、新渡戸の『武士道――日本のこころ』で明らかとなります。

頭の文化

西洋は、今日、頭の文化といわれています。しかし昔はやはり腹や心臓に心が宿るとする内臓脳思考が一般的であることは、聖書の記述例をまつまでもありません。内臓脳思考とは大脳辺縁系思考のことで、実態をあるがままに本質的に捉えるもので、古代人の得意とするところです。

現代人は、大脳皮質の浅知恵のゆえ、奥深い内臓脳思考能力がほとんど失われています。英語でgutsという単語には、内臓、はらわたのほかに度胸、気力、ずうずうしさという意味があり、visceralにも、内臓の、という意味のほかに、感情的な、本能むき出しの、理性的でない、腹の底からの、道理のわからない、といった情感を示す意があります。

しかし、キリスト教世界の二〇〇〇年は、あまりにも長すぎたのです。ユダヤ教で認めていない処女懐胎やひとの子イエスの復活を二〇〇〇年間信じることによって、ひとの肉体がすべて霊的現象として考えられるのです。肉体のどこに魂が宿り、どこに処女懐胎が起こるのかも考えようとしなくなるのです。そしてデカルトの時代に至って、大脳皮質の浅知恵が活発になってきました。

それに対してわが国では、太古の言霊《ことだま》思想を古事記の時代から連綿と引き継いで江戸時代までできました。

大和魂と勾玉

新渡戸は『武士道』で、宗教が「情動の影響を受けた道徳性」（マシュー・アーノルド）にほかならないとしたら、武士道以上に宗教の列に入る資格を持つ倫理体系はわずかしかない、と述べています。

本居宣長は、この国民の無言のことばを言い表して次のように詠ったものです。

敷島の大和心を人問わば朝日に匂う山桜花

また、吉田松蔭は、ペリーと同航に失敗して下田で捕われ江戸送りの際、泉岳寺四十七士の墓前で詠んだ、

かくすればかくなるものと知りながらやむにやまれぬ大和魂

という歌を残しています。

本居は古道を復活させ国学を大成した小児科医です。松阪に住いし、紀州徳川藩につかえ、

『玉勝間』を記しています。「かつま」とは籠ないし形見のことで、「魂の形見」として政治論を藩主に捧げたのです。一方、文学論として『玉くしげ』を残しています。「くしげ」とは櫛《くし》の函《はこ》（匣）のことですが、言霊思想から考えると、くしげは奇しげに通じるところから「玉くしげ」は「魂の不思議」ということになります。函（匣）も籠もともに魂が宿る場所なのです。美術工芸品の函（匣）に宣長の文学論をおさめ、日用の生活用具の籠に行政論をおさめるのも宣長にことだま思想が身についている証しです。

魂と深い関係にある宝玉に勾玉があります。日本・朝鮮半島の遺跡から多数発見されている古代の装飾品です。

皇位継承シンボルが「ヤサカニノマガタマ」ですから、勾玉にはわが民族でなければわからない何かが宿されていると見なければなりません（『勾玉』水野祐著、学生社より）。勾玉は何の象徴でしょうか。

勾玉はわが国に特有のものとされていますが、よく見るとさまざまな形態があります。勾玉によっては、口と鰓に相当する刻みがある鰓腸胚のものがあります。丁字頭勾玉《ちょうじがしらまがたま》です。ヘソの緒のついたものも出土します。また神経胚のステージのものもあります。子持ち勾玉です。朝鮮半島では、勾玉とならべて金の魚を垂下した宝冠が出土しています。種々の形で共通しているのは、ヴァリエーションとして胎児のみのもつ目と口と鰓のみぞ、ヘソの緒などが目を引きますが、顔面頭部に金帽をつけたものが出土しており、これらがまぎれもなく胎児を象《かたど》ったものであることを示しています。

魚と胎児は系統発生学において、脊椎動物の生命のシンボルです。胎児を象《かたど》った勾玉を生命の象徴として大切に扱い、わが民族の命をとこしえに伝えるための由緒ある宝物のお守りとして、種族の長に代々うけ継がれて来たものの一つが勾玉と考えられます。

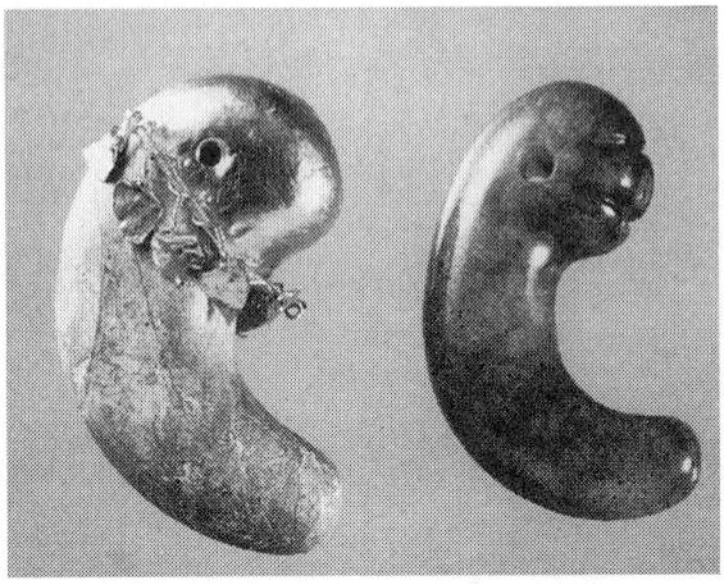

図V—3　勾玉

しかしなぜ古代人は、遥かなる生命の祖先のことがわかったのでしょう。これは騎馬民族や海洋民族が入りまじって混成されているわが民族にとっては簡単なことです。牛、馬、鹿、うさぎ、鳥から魚からフカ、鯨に至るまで、食用としていた動物の胎児を比較すれば、そこにはすべてに共通した形としてヘッケルの見た胎児の形象が、豆つぶほどの大きさで出てきたためでしょう。これを直観によってすべての命と魂に共通する生命の象徴のマガタマとしたのでしょう。コトダマを愛する種族の守り神たるゆえんがここにあります。そしてその直観の、遠い源は細胞レベルに基づいた生命記憶によるのかもしれません。日本の言霊《ことだま》思想では、勾玉のマガは〝真実の〟という意味です。タマは魂《たましい》で、いのちのことです。つまりマガタマはほんとうの生命ということなのです。昔は、マガタマの触れ合う音をタマユラといって魂のふれあう象徴としたといわれています。いかにも言霊のさきわう国にふさわしい、ことばの意味とひびきがここにはあります。

初期の勾玉は新潟県の糸魚《いとい》川近辺で産出された硬玉で製造されたものではないかといわれています。当時の宝物だった勾玉は、日本ばかりか朝鮮半島の遺跡でも発見されていますが、これらの多くも日本産のものです。

古くから勾玉は、「動物の牙」に由来するとの説、胎児とする説、月の象徴とする説など、様々にその由来が論じられてきました。これらをまとめると、魚形起源説、腎臓模倣説、胎児模倣説、釣針起源説、獣牙起源説などがあります（『勾玉』水野祐著、学生社）。確かに、旧石器時代に牙に孔を開けた牙勾玉が中国や日本の縄文草創期に認められますが、勾玉はまぎれもなく胎児を生命の象徴として、皇祖皇宗の守り神としてきたものです。日本武尊《やまとたけるのみこと》も燧《ひうちいし》石でできた勾玉で危機を脱したことが、『古事記』に記されています。

これを系統発生的に見ると、ヘッケルのRecapitulation（頭部のくり返しの学説＝生命反復説）をほうふつとさせるものがあります。この生命反復説では、原初の脊椎動物のCeput（頭部）が反復するからです。頭に金をかぶせた勾玉を見ると、これこそ生命の原型の胎児であることがわかります。

前述のように、わが国や朝鮮半島で出土した勾玉には、頭に金の飾りをつけたものや頭部に鰓のみぞがはっきり刻み込まれたものがあり、またタツのおとし子形の神経胚の形をしたヘソの緒がついている子持ち勾玉もあります。さらにまた朝鮮半島から出土する王冠や首飾りには、勾玉と並んで金の板で出来た魚の形象《かたち》がつるされています。

古代人は、人間のはるかな祖先が脊椎動物であり、その先の神話に属するころには、海中に棲む魚であったことを直感的に知っていたのでしょう。神話は、生命記憶による、系統発生の世界の物語なのかも知れません。ちなみに勾玉は、日本と朝鮮半島とエジプトで出土しています。

武士の魂と哺乳動物の魂

余談ですが、武士の魂は「刀」といわれています。この論法で脊椎動物を見ると、この宗族のうち特に哺乳類の魂は、歯ということになります。歯を失えば、人間以外の哺乳類の多くは、だいたい死んでしまうからです。

哺乳動物の定義は、「咀嚼を行うことになる吸啜システムを持って生まれる脊椎動物」といえます。吸啜とは、哺乳のことで、お乳をすするという意味です。哺乳動物の特徴は異型歯（Heterodontia）で、最も大きな特徴が三種類の歯を持つ動物ということで、これが哺乳動物の定義です。歯の型が顎の部位に従って異なるということは、骨と歯との間に関節（歯根膜）がなければ起こらないことなのです。三章でくわしく述べましたが、学名をHeterodontas japonicusというサメがいます。これは「哺乳動物型の歯を持つ日本のサメ」ということになります。和名をネコザメといいます。実際にこのサメの成体の顔は、三二日目のヒト胎児とパーツがピッタリと対応します（図Ⅲ—1）。このことはヘッケルの生命反復説が示す通りに、ネコザメが哺乳動物型爬虫類となることを検証しているのです。

このネコザメの卵は鶏卵より大きくて昆布状の袋でできています。ホヤの根っこのセルロースがサメの卵殻に受け継がれているのです。この卵がかえる寸前の稚魚が大きさも型もヒトの三二日目の胎児とそっくりなのです。古代の人は魂のこもった勾玉をつくるためにフカの卵や鳥の卵の中の胎児、ウサギの胎児を一心に観察したに違いありません。

武士の魂である刀で、魂の宿る腹を自らの意志で割く切腹は、世界に誇る日本刀がなければ不可能です。刀もまた、勾玉と同様に皇祖皇宗の三種の神器の一つです。天叢雲剣（アメノムラクモノツルギ）がそれです。

武士の魂が刀で、武士道のたしなみが奉公人の切腹の覚悟です（『葉隠』）。生命の象《かたち》が魂を象《かたど》った勾玉です。そして心の象徴と命と万物の源となっている太陽を象ったものがヤタの鏡です。三種の神器はカムヤマトイワレビコの皇祖皇宗の時代から仏教の伝来とともに深く密かに天皇家に受け継がれ、象徴として武士道とともに生命と魂（心）と武人のたしなみの身の処し方として受け継がれてきました。武士の魂の刀で生命の源の魂の宿る腹を割くことで身のあかしを立てたり、怒りをしずめる行動は、強い精神を必要とします。自死に大変な苦痛を伴うからです。生命が自ら目指すのは、自らの命の再生、すなわち生殖です。生殖が生の目標であり、死が生の完結です。そして生の源が腹にあり、生殖もまた腹に源があり、腹でするものです。小池喜明著の『「葉隠」の叡知』（講談社現代新書）によれば、落城には切腹がつきもので、落城前には、いたるところで男女の交合の光景が見られるという例が示されています。また、第二次世界大戦の東京大空襲では、空の炎の色が薄らいだころに靖国神社の境内で異様な光景に遭遇した脚本家の例を示しています。あたりは薄暮の明るさなのに、灌木の蔭で男と女の交合が激しい動きで行われている。皆、防空頭巾、防空服、もんぺ姿で、性愛の逸楽とはほど遠く、彼らの行為に淫楽さが感じられず、いまかぎりの性のいとなみの相《すがた》であることに思い至った。まわりにも卑猥な眼を向ける者もいないとあります。大日本帝国落城寸前の白昼堂々の事実だそうです。

生の目標の生殖と切腹や空襲の死は、まさに表裏の関係にあります。

おわりに——わが中央突破の考えによる研究生活

夢にまでみた脊椎動物の研究

前にも述べましたが、私はもともと三木成夫の「生命の形態学」の講義で先生の謦咳《けいがい》に接して学問とは何かにめざめ、臨床医から東大の生化学研究室に入り、約四〇年前に当時最先端のミトコンドリアに関する分子生物学で学位を取得しました。

一生の間に一度は、「脊椎動物の進化について研究してみたい」というのが四〇年前に大学院に戻る理由だったのです。進化の謎が生命科学では最も難しいもので、これまで誰一人として科学として実証的に研究した学者が一九世紀にも二〇世紀にもいなかったのです。最も難しい問題を一度は正面から研究したいと考えました。そこで四〇歳にして、自分で出来ることから始めることにしました。まず、臨床家ですから嶋峰徹の唱える口腔科医になることです。「歯科口腔外科」という臨床科目名を自分で「口腔科」にして、名口腔科医つまり医者の中の医者（上医）を目指せばよいわけです。

口腔科で最も難しいテーマが、人工的に歯を再生することです。特に歯胚（歯の発生のはじまりの歯牙《しが》の芽《め》）から始めて、丸ごと歯を発生させるのは、時間も長くかかり形のコントロールも難しいので、まず無理です。しかし考えてみれば、歯冠や歯根は人工的に簡単につくって、手術で植え込んで、からだと融合する部分の生体組織、つまりヒトの細胞で出来たセメント芽細胞とそれに続く歯根膜、歯根膜を支える歯周層板骨（ソケット）を、何らかの方法で細胞として誘導すればいいはずです。

四〇歳になってから、ずっとこの考え方を続けて、五年間くらい机上演習して来ました。口腔科で最も難しい問題に正面から取り組むのが、中央突破の思想です。五年目に人工歯根は完成しましたが、本当にヒトに問題なく使えるようになるにはそれから一〇年くらい臨床研究の時間が必要でした。

その間にいろいろな問題が起きてきました。人にはねたみ心があります。学生時代に最も親しかった友人や上司が猛然とこの人工歯根をつぶしにかかってきたのです。

しかしこの敵対勢力の抵抗のおかげで、研究が慎重のうえにも慎重になり、重力作用に関するバイオメカニクスの研究で、ラマルクの用不用の法則が生体力学で起こる流動電位によるる間葉細胞の遺伝子発現によることを発見する端緒が得られました。世界中でいろいろ探してもわからなかったセメント質や歯根膜という、細胞を誘導する因子が、〇・二ミリ振幅の反復荷重（咀嚼運動による繰り返しの力の負荷）というエネルギーであることを発見したのです。これは脊椎動物の進化がバイオメカニクスの重力エネルギーで起こることを暗示していたのです。

現代医学の盲点に気づくきっかけとなった、重力作用に関する力学的研究のバイオメカニクスに本格的に取り組んだのは、一九八八年からです。その頃、脊椎動物を他と区別する特徴的鉱物質のヒドロキシアパタイトが合成され、焼結体のセラミックスが実用化されました。それを用いて世界に先がけて歯の代替人工器官の人工歯根の開発に成功しました。

靭帯結合と固有歯槽骨の形成された人工歯根の植わったイヌの顎骨の標本を一瞥して、歯と顎の骨がきれいに力学対応した構造を示しているのがわかりました。これを数理的に検証するために、この標本をモデルとして今日、工学的に最先端の力学解析（有限要素法）を行ったのがバイオメカニクス研究のはじまりです。

この年の暮れにアパタイト療法人工歯根療法研究会（AART Assosiation）を設立しました。人工歯根の力学の数理解析のために生産技術研究所の中桐滋教授のところへ通って力学的解析法の手ほどきを受け、その研究成果を一九九〇年にサン・ディエゴのカリフォルニア大学で開かれた第一回ＷＣＢ（世界バイオメカニクス会議—Fung教授が創始）で発表しました。流動電位を発見したポーラックの後継のブルンスキー教授の座長の下で発表したときは少なからず緊張したことが今でも思い出されます。

このときに立ち寄ったサン・ディエゴのラ・ホヤにあるスクリプス海洋研究所の水族館で、系統発生の流れに従って並んでいる各ステージの現生の動物を目の当たりにしたのが、後に骨髄造血発生の謎の解明のための実験進化学手法を開発するきっかけとなりました。

脊椎動物の三つの謎の「形態と機能の変容」と「免疫系の発生」、「骨髄造血の発生」が系統発生の各ステージで、からだの使い方による重力と慣性と作用反作用の法則への対応として、きれいに系統的に並んでいることが直感でわかったからです。

この学会では、ポーランドのミカエルという血液内科の教授と親しくなり、人工骨髄造血の生体力学（バイオメカニクス）エネルギーによる開発について話し合いました。

帰国してまず取り組んだことは、文部省への人工骨髄開発研究の申請でした。幸いこれがパスして予備研究からすぐに本格的人工骨髄チャンバーの開発実験に進み、すべての研究がことごとくうまくいきました。

一九九四年には、四年ごとにイタリアで行っているセラミクスの国際学会ＣＩＭＴＣの招待講演でセメント質と歯根膜が出来る人工歯根を発表し、引き続いてアムステルダムで行われた第二回ＷＣＢでは顔の変形症の治療法に関する集大成を発表することが出来ました。そして日本臓器学会でこの年に人工骨髄の開発でオリジナル賞を受賞しました。これでいよいよ脊椎動物の研究に着手することが出来るのです。

バイオメカニクスのオリジンをたずねると、ウィルヘルム・ルーが今世紀初頭に生命発生機構学とともに「生命の発生と進化には重力の作用が本質的に重要である」としてこの学問を創始したことを知りました。ルーはまた、個体発生と系統発生の関係を明らかにし、生命発生原則（生命反復学説）をうちたてたヘッケルの一番弟子です。

私は神奈川県の横須賀市の出身でしたので、中学の同窓会のあった時に油壺のマリンパークの樺沢洋館長さんを紹介していただきました。そこで、いよいよ、骨髄造血巣を持たないサメにセラミクスの人工骨髄を埋め込んで人為的に人工骨髄内に造血巣を誘導する実験進化学研究を始めました。この研究は進化の一ステージ前の動物に骨髄造血巣を誘導する進化の先取りをする研究です、これもすべてうまく行きました。次いで、サメとイモリ、ゼノプス、哺乳動物の移植研究を始めました。

イモリやマウス、アホロートルやラット、ウズラといったいろいろな動物を自宅に飼育して、これを三浦半島まで運んで手術して、家に運んで術後の管理をします。デパートのペットショップに通って術後管理と飼育に便利な用品をそろえたりしながら、家内が動物の世話はすべてしますから、それはそれは大変です。こんなに難しい研究がすんなりとうまくいったのもひとえに家内の献身的な協力のお蔭と感謝しています。夜更けまでラットやウズラの世話をして、そのうちにロシアンブルー（ネコ）をデパートから買って来ました。まだ一〇センチくらいの大きさで頼りなげにニャーとなきます。

わが研究は、リンネに始まりラマルク、ゲーテ、ヘッケル、ルー、三木、西原とつなげて、この頭の文字を取ってリラ（LiLA）・ヘル（HeRuG）・ムン（MN）と三匹は飼わなければならないということに家内と話がまとまりました。とりあえずこのロシアンブルーはヘルと名づけました。研究が波に乗って、移植手術も成功して、サメの皮の植わったマウスやウズラ、サメの脳の植わったラットが合計二〇匹もいました。

玄関で飼育していると、ラットが夜中に散歩して朝にはケージに帰っています。あまり手狭になったので、庭に実験小屋をつくりました。ゼノプスとアホロートルを陸で育てる実験もこの小屋でしました。

研究をまとめてブルーバックスの『生物は重力が進化させた』を出版しました。このときには生命科学で最も難しい問題の中央突破の糸口をつかんだものですから、すっかり有頂天になりました。なにしろダーウィンを打ち負かしてそれに変わる考えをはじめて示したのです。NHKでは「おもしろ学問人生」と「サイエンスアイ」で紹介され、中京テレビでも取り上げられたので、油壺のマリンパークへ何回も一日がかりで撮影に行きました。夜の動物小屋もしげしげと撮影するのでこれは困ったことと思い、家を建て替えることにしたのです。

屋上の塔屋に実験用の飼育室をつくったのはよかったのですが、そのころにはわが国の経済事情が大きく変わり、東京では山手線の内側でアホロートルやゼノプスを売るお店は全滅してなくなってしまいました。五年前には二〇匹もいたのに今では、二〇センチのアホロートルと八センチのゼノプスを一匹ずつしか飼っていません。

そのうちにトイプードルが二匹家族に加わって、リラ・ヘル・ムンがそろいました。進化の研究の副産物です。まだ名前負けをしている進化ペットですが、哺乳動物は、猫も犬も大変頭がよくて感情も豊かでほとんどヒトと変わることがないことが、リラ・ヘル・ムンの観察でわかりました。また、哺乳動物の赤ちゃんの呼吸の習得の仕方もラットやリラ・ヘル・ムンの観察でよくわかりました。

中央突破の考え方

学生時代に三木成夫の生命の形態学を学んで以来、サイエンスとは、自然観察に基づいて錯綜する現象の背後にひそむ法則性を、因果の理法によって解明することと肝に命じていたので、従来の医学や解剖学（形態学）で語られていた生命科学の目的論的なものの見方による進化論や病因論に関する見解が誤っているのではないかと考えるようになってきました。

そして医学の臨床研究も、すでに完成している手術法には、当然ほとんど興味がありません。特に私の領域の兎唇（唇裂）や口蓋裂は、もうほとんど完成されたものですから、数例はこなしたいと思いましたが、これだけを一生涯の仕事にする気は毛頭もありませんでした。

特に外科系の医学では、外科手術をいかにして、なくすかを考えるのが超一流のやり方で、外国人の外科医が開発した手法を何百例も積んで得々としているのは、二流の外科医です。日本には、その意味で一流や超一流の医学者は少ないといってもよいでしょう。特に戦争に敗れてからの医学界は、米国のＮＩＨ（国立健康研究所）のおこぼれを頂戴して喜んでいるような状態です。

学者の道に二六歳で復帰し、三〇歳で大学院を終了して、早々に講師になってから、研究対象とするテーマはその当時未解決で誰も手が出ない幅の広い問題か、最も難しい問題で、時流に合った手法とは異なるものだけを選ぶようになってしまいました。したがって、短期的には成果が出ないものばかりです。

最初のテーマは、小学校、中学校、高校、大学と進む中で、昔、紅顔の美少年、美少女がどうして顔がつぶれて背骨が曲がる変形症になり、海蛇《えび》おじさん、海蛇おばさんになって必ず病気持ちになるのであろうか？　というものです。そしてなぜか、歯周病や虫歯で歯を失うのも、この変形症の一環にすぎないにちがいないという確信を持っていました。

口腔科医になって一〇年くらいしたら、変形症の原因子が「口腔とその周辺の習癖」にあることがわかりましたが、まだ大まかなことしかつかめず、生体力学的にきちんとまとめるには、次のテーマである人工歯根の開発研究に成功し、骨の新生と改造と生体力学との関係を解明するまで待たなければなりませんでした。

世界中で成功しなかった人工歯根の開発研究も、中央突破の思想です。口腔科の領域で最も難しい問題も真正面から取り組むと、意外に簡単に開発できるのです。

これには脊椎動物の本質を把握するという生命科学の最難問の中央突破の発想が必要です。この宗族の定義物質は骨ですから、骨の鉱物質が人工的に合成されれば、人工歯根と人工骨髄は何らかの工夫により開発が可能なのです。

しかし人工歯根と人工骨髄開発という、従来の人類の難題を解決するには、東大医学部における口腔外科学教室内の学者間の人間関係を改善しないことには、不可能なのがわが国の制度です。

上司にめぐまれない私は、二度にわたって教室主任と対立し、これを二度にわたり中央突破したのです。それで自由な研究生活が送れるようになりました。

人工骨髄の生体力学研究を始めてしばらくして、バイオメカニクスの文部省科研費の重点領域の研究班会議に出席した時のことです。骨の生体力学研究で、力学刺激が生体内の体液の流体力学に変換され、それがさらに流動電流に転換されて、間葉細胞の遺伝子の引き金が引かれて、ＢＭＰ（Bone Morphogenic Protein 骨形成蛋白質）が形成されることを解明したので張り切って発表しました。

班長の某大学工学部の教授は、一言、「それは誰が言っているのですか？」と問いただしたので「私です」と言いますと、ただちにこの意見は却下されました。

外国の学者の言った見解だけが意味を持つのが、わが学問不在の国、日本の職業学者の世界です。これでは世界を相手にするサイエンスでは負けるばかりです。

そしていよいよ、二〇世紀の一〇〇年間、人類が成し遂げられなかった脊椎動物の進化の法則性の解明と免疫システムの謎の解明と、免疫病の発症の原因究明の研究に着手したのです。これぞまさに中央突破が必要です。これに本格的にとりかかったのが、一九九六年ごろです。

以前に顎顔面バイオメカニクス学会をつくったときから、高名な生体材料学者のある名誉教授の指導を受けていたのですが、この方に、そのころ、「あなたがしようとしていることは、三〇歳で三〇人の部下を持つ主任教授が三〇年かかってもできるかどうかという問題だからやめなさい」と忠告されました。最も難しい問題は普通、こう考えるので誰もやりません。しかし難題といえども必ず解明される急所があるはずです。

脊椎動物の最大の謎が進化です。そしてその急所は、従来から大進化と言われた進化における急変期、つまり脊椎動物の第二革命の上陸劇にあるに違いないという見当がつきました。ここをじっくりと観察すれば必ず解決出来るはずです。従来はこの進化の上陸劇を適確に過不足なく観察した生命科学者や医者がいなかったのです。学問を解明するにも戦略が必要です。戦略で最も有効なのが古来から中央突破の思想です。学問においては特にそうです。細菌学を創始したパスツールもコッホも、形態学をつくったゲーテも、進化を解明したラマルクも、生命発生原則のヘッケルも、古生物学と比較解剖学の体系をたてたキュビエも皆一人でこれまでに存在しなかった学問を開拓して創ったのです。

大勢でチームでやる職業学者の研究は、皆二番煎じのペーパー量産研究で、つまり生計のためのお仕事です。当然オリジナリティーは必要ないのです。戦後の日本の医学と生命科学研究はほとんどがこのようなものです。自分で考え出すことが出来ないのです。

戦後の日本には、中央突破の思想を持つ生命科学者が少なくて、職業学者ばかりが目立ちます。

進化の流れをよく観察すれば、上陸劇に脊椎動物の形態変容の法則性を解く鍵があることが自ずと明らかになります。従来このときの変化とその原因を物質的に、生物学的に、きちんと観察した学者がほとんどいなかったのです。三木成夫がかなりの線まで観察していましたが、まだ多くの見落としがありました。

これまでの免疫学と免疫病発症の原因究明に至っては、ともかく患者と健常人の違いの比較観察すら完璧に欠落していました。これでは、進化も疫病もわけのわからない出来事となってしまって、進化の原因子や免疫病発症の謎は解けるはずがないのです。つまり従来の進化や免疫病究明の手法は、中央突破どころか、その謎解きの手法の「いろは」の自然観察すらおこたっていたということです。

そして、この観察の中にこれまでど忘れされていた、二〇世紀最大のサイエンスの成果である「エネルギー保存の法則」を導入して、その視点から突破したのです。それでたった一人で難問が主要部で解明されたのです。

こうして、はじめて心と精神の発生学を解明するための手がかりを得ることが可能になったのです。

以前から筆者は、脊椎動物の謎を解いて新しい学問を創り出す仕事は、難攻不落の城を落とす戦にたとえられると考えてきました。それには敵状をよく観察し、弱点を知り目標を定めたうえで戦略を立てるのです。そして攻めるのが最も難しいと考えられる敵の本陣を攻略する中央突破が古来から小人数で成功可能な最も有効な方法です。筆者はなにごとによらずこの方法を用いて来ました。

あるとき、日本人工臓器学会の論文で、ハイブリット手法で人工骨髄を開発して、生命科学の謎の進化と免疫システムを中央突破することによって解明する手法について述べたところ、この中央突破という用語は軍事学用語で、生命科学の学術用語ではないので、ことばを変えるようにいわれました。至極もっともでしたので、難問の解決という語に変えました。

研究の成果とマスコミ

私の研究は、テーマの幅が広すぎて本質的で、世界的にも最も困難な問題ばかりを扱っており、しかも時流に逆らっているようにもみえるらしく、研究がスタートした時からわが国の職業学者の間ですこぶる評判が悪いことに気づきました。国内で発表しても無視されるばかりでした。

そこで一九八九年、ソウルでの人工歯根の発表を皮切りとして、学会発表の中心を国際学会のバイオメカニクス学会とバイオセラミクスやバイオエンジニアリング、医用セラミクス学会に移しました。そしてドラムヘラー（カナダ）、サンディエゴ、テリーホート（USA）、ロンドン、チェスター、ベルリン、シカゴ、フィレンツェ、アムステルダム、フィンランド、スウェーデン、イスタンブール（トルコ）、ペキン、タイペイ、ボローニャ、ファエンツァ（イタリア）というふうに、年に一度か二度、国際学会で発表していました。しかし研究の成果がマスコミに取り上げられるのは、やっと一九九四年になってのことです。

研究発表で取り上げられる前に、スウェーデンの学会の合い間に家内とストックホルムの港を歩いていたときのことです。いきなりパチパチと写真を撮られ、撮影承諾のサインをさせられました。ちょうどノーベル賞の授与式のある市庁舎を見学して出てきて、小舟に乗る

筆者と家内が紹介された新聞“DN. Stockholm”

ときのことです。翌日も遊覧して昼に戻ってみると、ホテルで受付係がとんで来て、ストックホルムニュースの一面に大々的にカラーで二人の写真が載っている新聞を持って来たのには驚きました。

帰国してから、東京新聞で「口呼吸」のことが取り上げられ、しばらくして人工骨髄が大々的に朝日新聞で取り上げられました。間もなくスウェーデン大使館から、すぐに英文論文を提出するように言われたのにも少なからず驚きました。

脊椎動物の五億年の力学対応による進化を究明し、心のありかを明らかにし、生命科学の謎を中央突破して解明しました。これから二一世紀にふさわしい新しい宇宙の構成則にのっとった新しい生命科学の規範を見つけだしましょう。新しい革袋に新しい酒をみたすのです。

本書を書くのは大変難しいことでした。まず「エネルギー保存の法則」を完璧に身体で体得しないと、「心」が生命エネルギーであることがわからないからです。これには、アインシュタインの相対性理論をエネルギー保存の法則にてらして深く考え、矛盾する点があればこれを正す必要があります。また、一九一一年にカメルリン・オンネス（K. Onnes）によって発見された超伝導現象（超低温〔−273℃〕で電子が常温より二千万倍スピードアップする）と、ハーバード大学でこの三年間に行った超低温（絶対零度付近）における光速の実験データ（−273℃で17m／sec、−273.13℃で0m／sec）の事実をエネルギー保存の法則のもとに統一的に理解することが必要なのです。光速は不変ではないのです。

この三つの異なる事象もまた、脊椎動物三つの謎と同様に同じ現象の異なる側面なのです。超低温でエレクトロン（電子）が早く走り、光がゆっくりになるということは、常温の時間が超低温で二千万倍に伸びるのです。これこそが光を仲立ちとして、空間と時間が相対的関係にあるという相対性理論の神髄です。光も時間も空間もエネルギーなのです。

人工骨髄と人工歯根のハイブリッドシステムによる開発で、重力エネルギーに基づく流動電位というエネルギーによって、人工器官を移植した動物の細胞遺伝子を発現し、骨髄造血細胞や骨芽細胞、セメント芽細胞や線維芽細胞をセラミクス周辺に誘導することに成功しました。その結果、脊椎動物の進化が重力エネルギーで起こっていることを発見して、重力とは何かを解明した成果が、三つの謎の解明と、相対性理論の真正解釈です。これは生命現象が水溶性コロイドの有機体における電気現象であることを明らかにした賜です。

光というエネルギーを仲立ちとして空間と時間が相対的関係にあるというのが真正相対性理論で、空間も時間もエネルギーということになります。光速も温熱エネルギーで変動します。光速と時間を掛け合わせると常に一定になります。これがその場（エネルギー状態）における空間の大きさで、常に一定です。エネルギー保存の法則のゆえんです。

ただし重力エネルギーは、ニュートンが示したごとく、質量のある物質にそなわった本性ですから、質量のある物質にのみ作用し、光や空間や時間には一切作用しません。これを混同したために二〇世紀は、何もかもはちゃめちゃになってしまったのです。このことさえわかれば、生命科学と医学の謎の「心」や「精神・思考」や免疫病は、わけなく解明されます。エネルギーとエネルギー代謝によって「心」や「精神」が支えられ、その変調によって免疫病が発症しているからです。医学は、どんなに御託をならべても治せなければ意味ないのです。

今日のわが国の医学は、十九世紀のウィーン学派のスコダの唱えた診断学的虚無主義の時代に近い状態です。スコダは医学では患者の生命よりも診断学のほうが大切であるとして、剖検で病理診断を競ったために当時強く批判されたものでした。

エネルギーとその代謝を制御し、エネルギー摂取の誤りを正せば容易に難病は治せます。生命が宇宙空間における水溶性コロイドの電気現象だからです。したがって心も気功も電磁波としてカメラで光としてとらえられます。二一世紀の新しい生命哲学の樹立は、まさに日本人の手の中にあるのです。

エネルギーをよく知って日々の自己実現に努めましょう。

本研究は、文部省科学研究費の以下の助成による
1)「人工骨髄の開発に関する研究」平成3～5年度、試験研究(B)(1)03557107. 報告書
2)「骨の形態的機能適応現象のメカニズムの解明—骨の生体力学とピエゾ電性の総合研究—」平成5年度、重点領域研究(1)05221102. 報告書
3)「骨の形態的機能適応現象のメカニズムの解明—骨の生体力学と生体電流ならびに生理活性物質の関連性—」平成6年度、重点領域研究(1)06213102. 報告書
4)「コラーゲンを複合した天然型のヒドロキシアパタイト焼結体の人工骨の開発」平成6～8年度、基盤研究(B)(1)06558119. 報告書
5)「顎顔面形態の環境因子による変形の解析と矯正訓練実施後の形態的変化の予測法の開発」平成6～8年度、一般研究(B)06455008. 報告書
6)「人工骨髄の開発と実用化—ハイブリッド型免疫器官・人工骨髄造血巣誘導系の実用開発—」平成7～9年度、基盤研究(A)(1)07309003. 報告書
7)「新しい進化学理論の実験による探索—脊椎動物の力学対応進化学の実験系の確立—」平成8～9年度、重点領域(1)創発システム08233102. 報告書
8)「人工骨髄の開発・実用化と免疫学の新概念確立に関する研究」平成9～12年度文部省科研費、基盤研究(A)(1)09309003. 平成14年報告書

また、本書の内容の一部は、次の雑誌に掲載されたものを大幅に加筆した。
『自然食ニュース』「生命とエネルギー」自然食ニュース社
『薬局』「新しい免疫学(2002)」南山堂

西原克成――にしはら・かつなり

● 1940年神奈川県生まれ。東京医科歯科大学卒業。東京大学大学院医学部博士課程修了（医学博士）。東京大学医学部口腔外科教室講師を経て、現在、日本免疫病治療研究会会長、西原研究所所長。人工歯根、人工骨髄の開発における第一人者。第32回日本人工臓器学会オリジナル賞第1位受賞。

西原研究所（健康と美容の医学）：東京都港区六本木6－2－5原ビル3階（電話 03-3479-1462　ファックス 03-3479-1473）

●著書：『顔の科学』『「赤ちゃん」の進化学』『追いつめられた進化論』（日本教文社）、『生物は重力が進化させた』（講談社）、『免疫病は怖くない』（同朋社・角川書店）、『重力対応進化学』（南山堂）、『究極の免疫力』（講談社インターナショナル）、『免疫力を高める生活』（サンマーク出版）、『歯はヒトの魂である—歯医者の知らない根本治療』（青灯社）他多数。

NHKブックス［948］

内臓が生みだす心

2002（平成14）年8月30日　第1刷発行
2010（平成22）年1月20日　第13刷発行

著　者　西原克成

発行者　遠藤絢一

発行所　日本放送出版協会（NHK出版）
東京都渋谷区宇田川町41-1　郵便番号 150-8081
電話 03-3780-3317（編集）0570-000-321（販売）
ホームページ　http://www.nhk-book.co.jp
携帯電話サイト　http://www.nhk-book-k.jp
振替 00110-1-49701

［印刷］誠信社　［製本］笠原製本　［装幀］倉田明典

落丁本・乱丁本はお取り替えいたします。
定価はカバーに表示してあります。
ISBN978-4-14-001948-1 C1311

NHKブックス 時代の半歩先を読む

*教育・心理・福祉

子どもの世界をどうみるか―行為とその意味― 津守 真
不登校という生き方―教育の多様化と子どもの権利― 奥地圭子
「学力低下」をどうみるか 尾木直樹
子どもの絵は何を語るか―発達科学の視点から― 東山 明／東山直美
身体感覚を取り戻す―腰・ハラ文化の再生― 斎藤 孝
子どもに伝えたい〈三つの力〉―生きる力を鍛える― 斎藤 孝
生き方のスタイルを磨く―スタイル間コミュニケーション論― 斎藤 孝
〈育てられる者〉から〈育てる者〉へ―関係発達の視点から― 鯨岡 峻
愛撫・人の心に触れる力 山口 創
〈子別れ〉としての子育て 根ヶ山光一
現代大学生論―ユニバーシティ・ブルーの風に揺れる― 溝上慎一
フロイト―その自我の軌跡― 小此木啓吾
色と形の深層心理 岩井 寛
エコロジカル・マインド―知性と環境をつなぐ心理学― 三嶋博之
孤独であるためのレッスン 諸富祥彦
内臓が生みだす心 西原克成
心の仕組み―人間関係にどう関わるか―(上)(中)(下) スティーブン・ピンカー
人間の本性を考える―心は「空白の石版」か―(上)(中)(下) スティーブン・ピンカー
17歳のこころ―その闇と病理― 片田珠美
人と人との快適距離―パーソナル・スペースとは何か― 渋谷昌三
母は娘の人生を支配する―なぜ「母殺し」は難しいのか― 斎藤 環
福祉の思想 糸賀一雄
介護をこえて―高齢者の暮らしを支えるために― 浜田きよ子

*自然科学(I)

地球の科学―大陸は移動する― 竹内 均／上田誠也
地震の前、なぜ動物は騒ぐのか―電磁気地震学の誕生― 池谷元伺
生命と地球の共進化 川上紳一
生態系を蘇らせる 鷲谷いづみ
京都議定書と地球の再生 松橋隆治
異形の惑星―系外惑星形成理論から― 井田 茂
生命の星・エウロパ 長沼 毅
確率的発想法―数学を日常に活かす― 小島寛之
算数の発想―人間関係から宇宙の謎まで― 小島寛之
最新・月の科学―残された謎を解く― 渡部潤一編著
水の科学[第三版] 北野 康

NHKブックス 時代の半歩先を読む

＊自然科学(Ⅲ)

ミトコンドリアはどこからきたか―生命40億年を遡る― 黒岩常祥
日本人になった祖先たち―DNAから解明するその多元的構造― 篠田謙一
女の脳・男の脳 田中冨久子
心を生みだす脳のシステム―「私」というミステリー― 茂木健一郎
脳内現象―〈私〉はいかに創られるか― 茂木健一郎
快楽の脳科学―「いい気持ち」はどこから生まれるか― 廣中直行
うぬぼれる脳―「鏡のなかの顔」と自己意識― ジュリアン・ポール・キーナン／ゴードン・ギャラップ・ジュニア／ディーン・フォーク
「気」とは何か―人体が発するエネルギー― 湯浅泰雄
アニマル・セラピーとは何か 横山章光
脳が言葉を取り戻すとき―失語症のカルテから― 佐野洋子／加藤正弘
免疫・「自己」と「非自己」の科学 多田富雄
新しい医療とは何か 永田勝太郎
〈死にざま〉の医学 永田勝太郎
がんとこころのケア 明智龍男
遺伝医療とこころのケア―臨床心理士として― 玉井真理子
交流する身体―〈ケア〉を捉えなおす― 西村ユミ
内臓感覚―脳と腸の不思議な関係― 福土　審
泳ぐことの科学 吉村　豊／小菅達男
植物と人間―生物社会のバランス― 宮脇　昭
植物のたどってきた道 西田治文
深海生物学への招待 長沼　毅
鳥たちの旅―渡り鳥の衛星追跡― 樋口広芳
恐竜ホネホネ学 犬塚則久
カメのきた道―甲羅に秘められた2億年の生命進化― 平山　廉
暴力はどこからきたか―人間性の起源を探る― 山極寿一
ホモ・フロレシエンシス―1万2000年前に消えた人類―(上)(下) マイク・モーウッド／ペニー・ヴァン・オオステルチィ
細胞の意思―〈自発性の源〉を見つめる― 団　まりな
寿命論―細胞から「生命」を考える― 高木由臣
塩の文明誌―人と環境をめぐる5000年― 佐藤洋一郎／渡邉紹裕

※在庫品切れの際はご容赦下さい。